L'Habitation Saint-Ybars

Les Éditions Tintamarre — Les Cahiers du Tintamarre

Comité de Rédaction et de Direction

L'Habitation Saint-Ybars

ou

Maîtres et Esclaves en Louisiane

(récit social)

par

Alfred Mercier

Notes par D. A. Kress

Les Cahiers du Tintamarre
Shreveport 2003

Centenary College en Louisiane, Les Éditions Tintamarre et Les Cahiers du Tintamarre bénéficient du soutien financier décerné par la Louisiana Board of Regents dans le cadre de la Louisiana Board of Regents Support Fund : LEQSF(2003-2004)-ENH-UG-03.

Première édition, 1881
Première édition, Les Cahiers du Tintamarre, 2003

Mercier, Alfred.
L'Habitation Saint-Ybars, ou Maîtres et Esclaves en Louisiane.

ISBN: 0-9723258-2-4

Library of Congress Control Number: 2003107984

Conception de la couverture : Susan King

Imprimé en Louisiane

Éditions Tintamarre
Centenary College of Louisiana
2911 Centenary Blvd.
Shreveport, LA 71134

La vente de la Louisiane donna à la nation américaine des milliers de citoyens futurs dont l'héritage trouvait ses racines en France, au Canada francophone, en Allemagne, en Espagne, en Afrique et aux Caraïbes. Américanisés par le hasard, ces colons, esclaves et réfugiés n'ont pas abandonné leur culture en mettant pied sur le sol louisianais. Au contraire, ils nous ont laissé, dans leurs journaux, leurs livres, leurs manuscrits et leurs chansons, un registre riche et varié de leur vie au nouveau monde. C'est cette expérience – exprimée au moyen de ces langues aujourd'hui minoritaires – que Les Cahiers du Tintamarre *explorent, et ce faire dans les mots des gens qui l'ont vécue ou qui la vivent encore.*

Les textes que nous offrons dans cette série ne sont ni des éditions critiques ni de simples réimpressions des premières éditions de ces œuvres. En créant la partie française de cette collection, nous avons hésité entre deux choix : le respect absolu et incontestable du texte historique ou l'établissement d'une édition moderne conçue pour le lecteur francophone de nos jours. Bien que cette deuxième approche s'avère périlleuse, voire folle, c'est celle que nous osons. Nous avons respecté la ponctuation ainsi que l'orthographe – sauf pour les majuscules réclamant des accents et les fautes évidentes. La question du guillemetage se révélait plus épineuse, là où il n'y avait souvent que des guillemets anglais dans des textes qui se voulaient – français ! En effet, nous avons essayé de leur rendre toute leur francité en remplaçant les guillemets anglais par leurs analogues français et en les insérant au besoin. Notre guide dans la préparation de cette édition a été le Lexique des règles typographiques en usage à l'Imprimerie nationale *; notre but a été d'en faciliter la lecture en nous servant de la typographie moderne ; notre travail a été soutenu par la croyance qu'il est bien temps que la Louisiane prenne sa place dans la francophonie et la polyphonie moderne et internationale.*

Alfred Mercier

Médecin et écrivain dont la carrière représente le point culminant de la littérature créole, Alfred Mercier naquit le 3 juin 1816, à McDonoghville. Après avoir passé une partie de sa jeunesse en voyage en Europe où il fréquenta des milieux romantiques et progressistes, Mercier et sa famille se rendirent à la Nouvelle-Orléans. Là, Mercier gagna sa vie grâce à la médecine et s'impliqua dans la scène littéraire franco-louisianaise. En 1875, il fonda l'Athénée louisianais, association qui avait comme but de promouvoir la langue et la culture françaises. L'Athénée commença à publier les *Comptes rendus* en 1876.

La période après 1873 était particulièrement féconde pour Mercier homme de lettres. Il publia plusieurs œuvres : *Le Fou de Palerme* en 1873, *La Fille du prêtre* en 1877, son « Étude sur la langue créole en Louisiane » en 1880, son chef d'œuvre *L'Habitation Saint-Ybars* en 1881, *Émile des Ormiers*, paru comme feuilleton dans *Le Franco-louisianais* en 1886, *Fortunia*, un drame, en 1888, et *Johnelle* en 1891. Tout cela sans mentionner ses poésies et ses nombreuses études scientifiques et sociales. Mercier consacra ses dernières années à la sauvegarde de la culture créole en Louisiane, s'opposant à la politique monoculturaliste anglophone qui menaçait la langue française depuis la guerre civile. Il est décédé le 12 mai 1894.

Table des matières

Troisième partie :

Quatrième partie :

Première partie

I
En ce temps-là...

Le 5 mai 1851, le trois-mâts *Polonia*, arrivant de Cadix, entrait dans notre port, et bientôt jetait l'ancre en face de la rue Marigny. Parmi les passagers qui en descendirent se trouvait un jeune homme, dont la physionomie paraissait plutôt française qu'espagnole. En effet, il était français. Bien qu'il eût à peine vingt-trois ans, il avait déjà beaucoup souffert pour ses opinions politiques. Blessé et fait prisonnier sur les barricades, à Paris, pendant les journées de juin 1848, il avait été déporté en Afrique. Après avoir résisté, seize mois, aux épreuves de la captivité et au climat meurtrier de Lambessa, il était parvenu à s'évader, et il s'était embarqué à Oran sur un navire en partance pour Cadix. En mettant le pied sur la terre d'Espagne, il avait rencontré un ancien réfugié dont il avait fait la connaissance à Paris, en 1847, dans les salons de Le Dru Rollin. L'Espagnol l'avait accueilli avec cordialité, et, s'autorisant de son âge et de son amitié, lui avait donné un conseil. « Croyez-moi, lui avait-il dit, ne cherchez pas à rentrer dans votre patrie clandestinement. La France appartient désormais au prince Louis-Napoléon ; il en fera tout ce qu'il voudra, jusqu'à nouvel ordre, combien de temps durera-t-il ?... qui sait ? imitateur superstitieux et servile de son oncle, il le copiera jusque dans ses fautes ; il s'obstinera, au mépris du sens commun, à se fier à ce que, dans sa famille, on a l'habitude d'appeler la bonne étoile des Napoléons. Quand ce feu follet de l'orgueil l'aura entraîné, lui aussi, à sa perte, la France aura pris congé de sa dernière illusion monarchique ; alors, commenceront des temps meilleurs pour vos idées républicaines. En attendant, allez aux États-Unis ; là vous verrez, dans toute l'étendue de son application, le principe gouvernemental que vous croyez le plus favorable à la liberté de l'homme et à son bonheur. Vous observerez, vous étudierez, vous réfléchirez. Un jour viendra, peut-être plus tôt que je ne crois, où vous reparaîtrez parmi vos compatriotes avec l'autorité que donne l'expérience. Tenez, j'ai justement un navire qui va mettre à la voile pour la Nouvelle-Orléans ; je vous y offre une cabine. Vous trouverez facilement à vous caser en Louisiane, comme professeur. J'ai quelques amis à la Nouvelle-Orléans, entre autres un ancien avocat attaché à la rédaction d'un des principaux journaux de cette ville ; je vous donnerai une lettre de recommandation pour lui. Ne perdons pas de temps ; écrivez quelques mots à votre famille ; ensuite, nous nous occuperons de votre malle de voyage. »

Le jeune proscrit avait suivi le conseil de son ami ; debout sur la dunette du *Polonia*, au moment où le soleil descendait sous l'horizon, il avait contemplé longtemps, non sans émotion, et cette terre d'Europe dont il s'éloignait et la mer qui l'emportait vers une destinée incertaine, peut-être malheureuse. À voir l'air calme et assuré avec lequel, en débarquant, il marchait sur la *Levée*, on n'eût pas dit qu'il fût en pays étranger. Il avait étudié le plan de la ville, il savait bien son chemin pour se rendre aux bureaux de l'*Abeille*. Il prit la rue de l'Esplanade, et se disposait à tourner à gauche dans la rue de Chartres, lorsque son attention se fixa sur une maison basse dont toutes les portes et fenêtres étaient grandes ouvertes. Les deux chambres de devant, donnant sur l'Esplanade, n'avaient pour tous meubles que des bancs alignés le long des murs et occupés, ceux d'une pièce par des nègres, ceux de l'autre par des négresses ; quelques gens de couleur d'une nuance plus ou moins claire étaient mélangés avec ces noirs. À chaque pièce correspondait, sur le trottoir, un escalier de trois marches ; sur les degrés de l'un et de l'autre se tenaient debout quelques nègres et quelques négresses, tous dans la force de l'âge et paraissant jouir d'une excellente santé. À l'intérieur une porte à coulisse ouvrait une large communication de l'une à l'autre chambre. Au second plan, on voyait des pièces plus petites, peu éclairées ; puis, au-delà, une galerie donnant sur une cour au fond de laquelle étaient une cuisine et les dépendances.

Un homme de race blanche, grand et robuste, allait et venait de la chambre des hommes à celle des femmes, jetant de temps en temps un coup d'œil du côté de la rue, comme font les marchands qui attendent la pratique. Jeune encore, il avait déjà cette bouffissure des joues et ce teint violacé auquel on reconnaît des habitudes d'ivrognerie. On voyait qu'il avait dû être beau au commencement de l'âge viril. Il avait le regard intelligent mais dur. Par intervalle, il levait religieusement les yeux au ciel, comme pour implorer sa protection ; mais c'était moins par piété que par une sorte de tic que lui avaient laissé ses anciennes fonctions de ministre protestant ; car, il avait quitté l'état ecclésiastique depuis cinq ans, pour se faire marchand d'esclaves.

Le jeune étranger ralentit le pas, pour mieux voir ; mais il ne comprit pas d'abord ce qu'il voyait. Alors, s'adressant à une négresse qui venait à sa rencontre, il lui dit :

« Madame, je vous prie, qu'est-ce que cela ? »

La négresse s'entendant appeler *Madame*, se laissa aller à un de ces larges et joyeux rires particuliers à la race africaine, et dont l'Européen ne peut se faire une idée avant de les avoir entendus ; puis, reprenant à demi son sérieux :

« Vou pa oua don, Michié ? répondit-elle ; cé nég pou vende[1]. »

Elle s'aperçut qu'elle n'était pas comprise ; alors, elle se douta qu'elle avait affaire à un étranger, et elle reprit en bon français :

« Ce sont des nègres à vendre, Monsieur.

— Ah ! » fit l'inconnu, et il ne demanda plus rien. Il y avait bien des choses dans ce simple *ah* ! La négresse n'y vit qu'une expression de surprise banale ; quant à celui qui l'avait prononcé, il n'eut pas le temps d'analyser son impression : sa vue était déjà fixée sur quelqu'un qui s'approchait, tenant par la main une petite demoiselle de treize à quatorze ans.

L'homme qui venait était un Louisianais de vieille souche, un type de l'aristocratie créole. D'une taille élevée, il paraissait encore plus grand par sa manière de tenir sa tête haute et même un peu jetée en arrière comme s'il eût regardé un objet placé à l'horizon. Mince, bien fait, élégamment vêtu à la dernière mode, il marchait avec une

---

[1] Vous ne voyez pas, donc, Monsieur ? répondit-elle ; ce sont des nègres à vendre.

désinvolture où se lisait, au premier coup d'œil, l'estime de soi-même et l'habitude du commandement. En l'apercevant, le jeune étranger se dit intérieurement :

« A-t-il l'air fier, celui-là !... le grand roi Assuérus, dans toute sa gloire, ne marchait pas plus superbement. »

La fillette avait un costume qui lui allait à ravir ; mais elle était si jolie et elle avait une physionomie si remarquable, que l'attention du jeune Français se concentra exclusivement sur son visage. Elle avait la peau d'une blancheur mate, et les lèvres d'un rose vif. Ses yeux, d'un noir foncé et velouté, rayonnaient d'un éclat doux et tranquille qu'un poète aurait volontiers comparé à celui d'une belle nuit d'été ; ils révélaient un cœur sensible, une âme recueillie et profonde. Elle eût paru trop sérieuse pour son âge, sans le sourire, charmant de candeur et de bonté, qui se dessinait aux coins de sa gracieuse petite bouche, dès qu'elle parlait.

Le Louisianais entra chez le marchand d'esclaves ; celui-ci leva les yeux vers le plafond, soupira de satisfaction, et s'inclinant respectueusement :

« Monsieur Saint-Ybars, dit-il, je suis heureux de vous voir. Vous tombez bien : j'ai deux lots magnifiques, hommes et femmes, tous sujets de choix, excellents travailleurs, et parmi eux quelques ouvriers spéciaux.

— Salut, Monsieur Stoval », répondit laconiquement Saint-Ybars, sans regarder le marchand, et même sans prendre la peine de dissimuler le mépris qu'il avait pour lui. On peut trouver étrange et contradictoire que lui, qui venait là pour acheter des esclaves, méprisât celui qui faisait métier d'en vendre ; mais ce sentiment, logique ou non, n'en existait pas moins chez lui.

« Oui, Monsieur, reprit Stoval, comme j'ai eu l'honneur de vous le dire, tous sujets de choix, excellents travailleurs, et parmi eux...

— C'est bien, je le sais, dit Saint-Ybars en interrompant la ritournelle du marchand ; ils appartiennent à la succession de la veuve Hawkins. Les héritiers sont à Boston ; ils ont envoyé l'ordre de les vendre tous, grands et petits. Et ce sont ces mêmes gens qui prêchent l'abolitionnisme, au nom de la philanthropie. Hypocrites !

Mais, comme ils disent, ces saints du jour, *business is business* : j'ai besoin d'un forgeron, pour remplacer un des miens que j'ai perdu. Vous en avez un ; il se nomme Fergus ; où est-il ?

« Fergus, avancez », dit Stoval en s'adressant à un jeune nègre.

Fergus sortit des rangs. C'est un gaillard de vingt-cinq ans, bâti en Hercule, à la mine ouverte et joviale.

« C'est bien toi qui es forgeron ? demanda Saint-Ybars.

— Oui, maite, cé moin, dit Fergus ; moin cé nég créol ; mo pa nég pacotille, moin ; pa gagnin ain forgeron dan tou la ville, ki capab forgé ain fer à choil pli vite pacé moin. Mo capab racomodé ain lessieu é tou ça qui cacé dan ain voiture. Croché, vérou, charnière, gon, piton, tou ça cé kichoge ki connin moin. Si vou achté moin, maite, vou capab di vou achté ain vaillan nég[2].

— Si je t'achète, remarqua Saint-Ybars sur le ton de la bonne humeur, je suis sûr d'une chose, c'est que j'aurai fait l'acquisition d'un fameux vantard.

— Non, maite, reprit Fergus, mo pa vanteur, moin ; ça mo di vou cé la vérité. Vou mennin moin dan ain la forge ; va oua si mo pa fé ça mo di[3].

— C'est précisément ce que je vais faire, dit Saint-Ybars ; je vais te mettre à l'épreuve. »

Et se tournant vers Stoval :

« Le prix, s'il vous plaît ? demanda-t-il.

— Dix-huit cents piastres, Monsieur, répondit Stoval. C'est bon marché ; car, je vous ferai observer...

---

[2] Oui, maître, c'est moi, dit Fergus ; je suis un nègre créole ; je ne suis pas un nègre de pacotille, moi ; il n'y a pas de forgeron dans toute la ville qui est capable de forger un fer à cheval plus vite que moi. Je peux réparer un essieu et tout ce qui se casse sur une voiture. Crochet, verrou, charnière, gond, piton, tout ça c'est quelque chose que je connais. Si vous m'achetez, maître, vous pouvez dire que vous avez acheté un vaillant nègre.

[3] Non, maître, reprit Fergus, je ne suis pas vantard ; ce que je dis, c'est la vérité. Menez-moi dans une forge, vous allez voir si je ne fais pas ce que je dis.

— C'est bien, c'est bien, interrompit Saint-Ybars ; je vais le mettre à l'essai, et le faire visiter par un médecin. S'il est bon forgeron, comme il s'en vante, et s'il est dans des conditions physiques irréprochables, je le prends. »

Le jeune Français, dominé par une curiosité facile à comprendre chez un étranger, observait avidement mais discrètement ce qui se passait.

Comme Saint-Ybars allait sortir, deux hommes qui évidemment n'appartenaient pas aux rangs élevés de la société louisianaise, entrèrent dans le compartiment des femmes. Il y avait une esclave qui tranchait sur la masse par son teint et son attitude. Le jeune étranger, la croyant de race blanche, parut fort étonné de la voir dans un groupe de négresses à vendre. Belle et admirablement faite, elle avait trop d'esprit pour ignorer l'influence que ces avantages naturels pouvaient exercer sur son avenir ; aussi, avait-elle confiance, se disant que le nouveau maître qui devait l'acheter, quel qu'il fût, ne la traiterait pas comme la première venue. Le fond de sa pensée se manifestait dans la manière gracieusement impertinente dont elle tenait sa tête. Cependant, quand elle s'aperçut que les deux inconnus qui venaient d'entrer, la regardaient avec des yeux ardents, et qu'en même temps ils chuchotaient en échangeant des signes affirmatifs, elle se déconcerta : elle pressentit que l'un ou l'autre allait la marchander, et l'idée d'appartenir à un homme du commun lui inspira une horreur inexprimable. Dans son angoisse, une chance de salut se présenta à sa pensée ; elle la saisit avidement. Elle fit, coup sur coup, des signes à la fillette que Saint-Ybars tenait par la main, pour l'attirer à elle. La petite eût bien voulu répondre à son appel, mais elle n'osait pas. Cependant, la figure de l'inconnue qui la priait, prit une expression si désespérée qu'elle n'hésita plus ; elle quitta la main de Saint-Ybars, et courut vers la suppliante.

« Comme vous bel ! dit l'esclave d'une voix caressante ; vou gagnin ain ti lair si tan comifo ! vou popa riche, mo sûr ; di li achté moin. Ma linmin vou tou plin. Epi si vou té connin comme mo bonne coiffeuse é bonne couturière ! ma rangé si bien joli cheveu doré laïé ! couri vite di vou popa li achté moin[4]. »

La fille de Saint-Ybars, car cette charmante enfant était sa fille, n'avait pas besoin qu'on lui mît, comme on dit vulgairement, les points sur les *i* ; elle comprit la détresse de l'esclave, et se sentit prise de compassion. Revenue près de son père, elle lui dit en lui montrant la jeune femme :

« Papa, achète-la pour moi ; elle est bonne coiffeuse, bonne couturière.

— Mais, mon enfant, répondit Saint-Ybars, nous avons tout cela à la maison.

— T'en prie, papa, reprit la fillette, achète-la pour l'anniversaire de ma naissance qui est dimanche prochain ; tu me rendras si heureuse, cher papa. »

Tout était passion chez Saint-Ybars ; il avait pour sa fille une affection ardente, sans bornes. Que n'eût-il pas fait, pour la rendre heureuse ? pouvait-il refuser ce qu'elle demandait pour l'anniversaire du jour où elle avait apparu au monde ? non, certes. Aussi, laissa-t-il sa fille le prendre par la main, et le conduire, comme un grand enfant, vers celle qui le désirait pour maître.

La jeune esclave se nommait Titia. Quand elle vit venir Saint-Ybars et sa fille, elle rayonna de contentement.

« Ma fille vous désire pour la servir, lui dit Saint-Ybars ; est-ce que vous aimeriez à venir avec nous ?

— Oh ! oui, Monsieur, répondit-elle, c'est tout ce que je voudrais. Je suis née et j'ai grandi chez des gens comme il faut ; je serai à ma place dans une famille comme la vôtre. »

Saint-Ybars appela Stoval, et s'informa du prix que l'on demandait de Titia.

---

[4] Comme vous êtes belle ! dit l'esclave d'une voix caressante ; vous avez un petit air comme il faut ! votre père est riche, j'en suis sûre ; dites-lui de m'acheter. Je vous aimerai beaucoup. Et puis si vous saviez comme je suis bonne coiffeuse et bonne couturière ! Je rangerai très bien vos cheveux dorés ! Allez vite dire à votre père de m'acheter.

Le marchand, en guise de réponse, exécuta une longue phrase musicale en sifflant ; ce qui voulait dire en langage ordinaire :

« Oh ! ceci, Monsieur, est de la marchandise à prix élevé. »

Saint-Ybars lui lança un regard d'homme blessé au vif, et lui dit :

« S'il y a quelque chose au monde que j'abhorre, Monsieur, c'est d'entendre siffler. Vous n'êtes pas dans le secret de mes affaires ; vous ne pouvez savoir ce qui est cher ou ne l'est pas pour moi. Ce ne sont pas des réflexions que je vous demande ; je vous demande le prix de cette femme.

— Deux mille piastres, Monsieur », répondit Stoval du ton le plus respectueux.

Une expression d'ironie et de mépris passa comme un nuage orageux sur les traits de Saint-Ybars. Il sourit amèrement, et dit d'une voix contenue mais mordante :

« Vos yankees tirent parti de tout. Cette femme à Boston passerait pour blanche : pourquoi ne l'y a-t-on pas fait venir, et ne lui a-t-on pas rendu sa liberté ? Non, elle vaut trop d'argent pour cela : la philanthropie de ces gens du nord ne va pas jusqu'à sacrifier deux mille piastres.

— Pardon, Monsieur, vous vous trompez, remarqua Stoval ; cette jeune femme ne fait pas partie de la succession Hawkins ; elle appartient à une famille du pays. On m'a chargé de la vendre pour éviter un grand malheur. Un des fils de la maison est devenu éperdument amoureux d'elle ; on a craint qu'il ne fît un coup de tête. On lui a fait entreprendre un voyage sous je ne sais quel prétexte ; on profite de son absence, pour faire disparaître sa dulcinée. Je crois, soit dit entre nous, qu'elle est... »

Stoval n'acheva pas sa phrase, ne sachant comment exprimer sa pensée sans blesser les oreilles délicates de la fille de Saint-Ybars. Du reste celui-ci qui venait de le regarder d'une manière peu faite pour l'encourager à poursuivre, lui dit :

« Bref, on en demande deux mille piastres : soit ; je l'emmène. Je reviens dans une heure ; nous réglerons les deux affaires en même temps. »

Le détail de mœurs dont le jeune étranger venait d'être témoin, l'avait fortement impressionné. Mais la scène de vente devait être suivie d'un épisode auquel personne ne s'attendait, et qui allait émouvoir tous les assistants, lui plus que tout autre.

Une négresse qui était près de la porte du fond, se pencha dans la pénombre, et murmura quelques mots à la hâte.

Un être étrange, qui semblait sortir de dessous terre, entra en glissant et en rampant. C'était une vieille mulâtresse cul-de-jatte. Pour avancer elle s'appuyait sur ses bras dont l'un était plus court que l'autre, tandis que ses petites jambes, tortueuses et ratatinées, s'allongeaient alternativement en frottant le plancher. Elle était de nuance claire et avait les yeux bleus. Un tignon à l'ancienne mode cachait entièrement ses cheveux, et s'épanouissait autour de son front et de ses tempes comme un éventail largement ouvert. Son vêtement se composait d'un gilet de peau en flanelle, d'une veste de cotonnade bleue avec de grandes poches, et d'un pantalon en cotonnade renforcé extérieurement de cuir à tous les endroits qui étaient en contact avec le sol. Elle avait une expression douce et intelligente ; malgré ses rides et plusieurs dents de devant qui lui manquaient, on entrevoyait qu'elle avait pu être bien de figure aux jours de sa jeunesse.

La fille de Saint-Ybars eut peur ; ses yeux n'étaient pas familiarisés avec les difformités humaines ; tremblante et pâle, elle se colla au corps de son père.

La vieille étendit ses bras maigres, et s'écria d'un ton lamentable :

« Monsieur Saint-Ybars, cher maître, miséricorde ! n'emmenez pas cette jeune femme sans moi ; elle est la fille de ma fille, elle est la consolation de ma vieillesse. Sa mère qui était belle comme elle, est morte à dix-huit ans ; c'est moi qui l'ai élevée. Il peut vous paraître étrange, Monsieur, que j'aie été mère ; mais la nature est puissante, Monsieur Saint-Ybars, et c'est pour le prouver qu'elle a fait ce miracle. Achetez-moi aussi, cher maître ; vous ferez une bonne action, Dieu vous bénira. »

Tout en parlant, la vieille infirme s'était approchée de la porte d'entrée, comme pour barrer le passage à Saint-Ybars.

« Toi, ici, misérable avorton ! s'écria Stoval ; qui t'a donné la permission de venir troubler mes affaires ? veux-tu bien t'en aller, affreux crabe dont on ne tirerait pas un picaillon. »

Stoval écumait de fureur ; il donna à la malheureuse vieille femme un coup de pied qui fut plus violent qu'il ne le voulait peut-être. Elle tomba à la renverse sur l'escalier de la rue, et alla rouler sur le trottoir.

La voix furibonde de Stoval avait attiré quelques femmes du voisinage ; elles s'empressèrent de relever la vieille.

Saint-Ybars avait pâli d'indignation. Sa fille connaissant son caractère emporté, l'enveloppa de ses bras qu'elle serra de toutes ses forces, pour l'empêcher de saisir Stoval au collet et de le secouer comme un misérable.

« Mon enfant, sois tranquille, dit Saint-Ybars ; ton père ne salira pas sa main en touchant cette vile canaille. »

Le groupe des femmes accourues au secours de l'infirme avait grossi. Leur nombre leur donna du courage, et, tout esclaves qu'elles étaient, elles firent honte au marchand de sa lâche brutalité.

La vieille, en tombant, avait perdu son tignon ; ses cheveux blancs, apparaissant tout à coup, augmentèrent la pitié et le respect que son grand âge inspirait à toutes les personnes présentes.

« M. Stoval, dit-elle, je vous savais méchant homme ; mais je ne vous savais pas capable de frapper une infirme sans défense, et de ricaner en la voyant tomber. Je connais votre histoire : à dix-huit ans vous abandonniez vos parents ; vous ne leur avez jamais donné de vos nouvelles ; vous ignorez s'ils sont vivants, ou morts de misère. Après une jeunesse dissipée, vous vous êtes fait ministre protestant, comme on se fait joueur ou politicien. La religion ne vous enrichissant pas, vous l'avez mise de côté, pour vous faire marchand d'esclaves. M. Stoval, vous irez loin : une voix me dit qu'au bout du chemin où vous marchez, il y a un crime et une potence qui vous attendent.

— C'est toi, vieille guenon, répondit Stoval en haussant les épaules, que ton insolence fera pendre un de ces quatre matins. »

L'infirme se tournant vers Saint-Ybars, lui dit :

« Je parle au gentilhomme, au Louisianais, au maître né sous le même ciel que moi humble esclave. M. Saint-Ybars, vous avez dans votre enfance, comme tous les fils de famille, joué avec vos petits serviteurs ; ils ont grandi avec vous, vous avez de l'affection pour eux. J'implore avec confiance le Créole généreux. Achetez-moi, Monsieur ; mes maîtres m'ont autorisée à m'offrir à la personne qui achèterait ma petite fille. M. Stoval le sait bien, c'est par méchanceté qu'il fait celui qui ne le sait pas. Monsieur, toute vieille, toute difforme que je suis, je puis être utile. J'ai été élevée par un bon maître ; c'était un homme distingué ; il vint ici après les désastres de St-Domingue, et fut l'ami de votre père. Son nom vous est connu, j'en suis sûre ; c'était M. Moreau des Jardets. Il m'apprit à lire et à écrire. Tous les matins je lui lisais son journal ; je prenais copie de ses lettres. Depuis trente ans, je conserve, comme une relique, un petit livre qu'il aimait plus que les autres. Voyez, Monsieur, vous trouverez son nom écrit de sa main au bas de la première et de la dernière page ; c'était son habitude, à ce cher et vénérable homme, de mettre ainsi son nom au commencement et à la fin de ses livres. »

Titia prit des mains de sa grand'mère un petit volume que la vieille venait de tirer d'une poche faite exprès pour lui, et le remit à Saint-Ybars. C'était un in-18, qui avait pour titre : *Pensées de Sénèque.* Saint-Ybars ouvrit au hasard ; ses yeux rencontrèrent ce passage :

« Cet homme que vous appelez votre esclave, oubliez-vous qu'il est formé des mêmes éléments que vous ? qu'il jouit du même ciel, qu'il respire le même air, qu'il vit et meurt comme vous ? Traitez votre inférieur comme vous voudriez l'être par votre supérieur. Ne pensez jamais à vos droits sur un esclave, sans songer à ceux qu'un maître aurait sur vous. »

Les traits austères et dominateurs de Saint-Ybars s'adoucirent. La vieille mulâtresse prit courage.

« Monsieur Saint-Ybars, dit-elle, votre bon cœur vous dit de m'emmener ; écoutez-le. »

Saint-Ybars fit un geste d'assentiment.

« Combien en demandez-vous ? dit-il à Stoval.

— Ce que j'en demande ? répondit le marchand ; *pshaw !* je demande qu'on m'en débarrasse : prenez-la pour la *gniape*.

— Au fait, remarqua l'infirme, M. Stoval gagne une assez jolie commission sur ma petite-fille, pour pouvoir me donner par-dessus le marché. »

Saint-Ybars fit signe à Fergus et à Titia de le suivre, et dit à la vieille : « Je repars ce soir, à cinq heures, sur le steamboat *Océola* ; trouvez-vous-y, c'est votre affaire.

— Oh ! soyez tranquille, Monsieur, j'y serai, répondit la vieille ; défunt M. Moreau des Jardets avait coutume de dire, en parlant de moi : "Elle est comme la Justice ; elle arrive lentement, mais enfin elle arrive." »

Fergus se laissa aller à son gros rire, et dit à l'infirme : « Ça cé kichoge ki vrai ; la jistice épi vou cé comme torti dan conte : torti-là rivé coté bite avan comper chivreil, é li marié mamzel Calinda. Mo parié va rivé coté stimbotte-là divan nouzotte. Adié jica tanto, pove vieu Lagniape. Pa faché, non, si mo hélé vou comme ça ; lagniape cé kichoge ki bon[5]. »

Ce sobriquet donné ainsi en riant par Fergus à la vieille mulâtresse, fut répété plus tard sur l'habitation de Saint-Ybars ; on s'habitua à appeler le cul-de-jatte Lagniape, et ce nom lui resta définitivement. Appliquant dès à présent à l'infirme son nouveau nom, nous dirons que Lagniape fut comblée de soins par les femmes qui l'entouraient ; elles l'emmenèrent dans une maison du voisinage, où on lui fit prendre quelque nourriture.

---

[5] Voilà qui est vrai : la justice et vous, c'est comme la tortue dans le conte ; la tortue arrive à son but avant le compère chevreuil, et elle s'est mariée avec Mademoiselle Calinda. Je parie qu'elle arrivera au steamboat avant nous autres. Adieu jusqu'à bientôt, pauvre vieille Lagniape. Ne vous fâchez pas si je vous appelle comme ça ; Lagniape c'est quelque chose de bon.

Le jeune étranger s'éloigna, plongé dans ses réflexions. Il marchait sans rien voir, sans rien entendre. Enfin il s'arrêta, et, comme quelqu'un qui sort d'un rêve :

« Ah ! ça, dit-il, où suis-je ? qu'avais-je donc à faire ? »

Alors, il se rappela qu'il était à la Nouvelle-Orléans, et qu'il avait à se rendre aux bureaux d'un journal. Il avait dépassé son but de beaucoup ; sur les indications d'un passant qu'il interrogea, il redescendit la rue du Camp, rentra dans la rue de Chartres, et enfin se présenta aux rédacteurs de l'*Abeille*.

« Vous arrivez à propos, lui dit la personne à qui il avait remis sa lettre de recommandation ; un de nos clients de la campagne nous donne, à l'instant même, un avis par lequel il demande un professeur ; il cause dans une autre pièce avec un de nos collègues : venez, je vous présenterai. »

Une minute après, le jeune Français se trouvait en présence d'une personne qu'il reconnut immédiatement.

« M. Saint-Ybars, dit le journaliste, j'ai l'honneur de vous présenter M. Antony Pélasge, professeur, sorti de l'École normale de Paris. Je ne saurais mieux faire, pour vous donner une idée de ses capacités, que de vous prier de lire cette lettre qui m'est adressée par un de mes meilleurs amis d'Europe. »

Saint-Ybars salua courtoisement le jeune professeur, prit la lettre et lut. Après avoir lu, il salua de nouveau comme quelqu'un d'agréablement impressionné. En effet, la lettre était conçue dans les termes les plus honorables pour celui qu'elle recommandait.

Saint-Ybars prit Pélasge à part, et lui dit :

« Je crois, Monsieur, que je rencontre, en votre personne, le professeur dont j'ai besoin pour le dernier de mes fils. Vous le trouverez bien arriéré ! Je ne dois pas vous dissimuler que la difficulté qu'il éprouve à apprendre, est un de mes chagrins les plus sérieux. C'est une chose inconcevable, Monsieur : il a de l'esprit naturel, et pourtant il ne fait pas de progrès dans ses études. Il fait le désespoir du maître qu'il a eu jusqu'ici. Si vous parvenez à faire mieux que votre prédécesseur, je vous proposerai un engagement, Monsieur, qui ne peut manquer de vous convenir. Je vous donne trois mois pour voir si vous pouvez tirer quelque chose de votre élève. Jusque-là vous aurez soixante-quinze piastres par mois. Ces conditions vous conviennent-elles ?

— Il serait présomptueux de ma part, Monsieur, répondit Pélasge, de croire *a priori* que je réussirai là où un autre n'a pas obtenu de bons résultats. Toutefois, ce que vous dites des dons naturels de votre enfant m'autorise à avoir confiance. Un changement de professeur entraîne presque toujours un changement de méthode ; souvent il n'en faut pas davantage pour faire prendre l'essor à l'intelligence d'un enfant. En tout cas, Monsieur, c'est un essai que vous me proposez ; vous réservez entièrement ma liberté, je dois vous en remercier. Vos offres m'honorent, je les accepte. »

II
Antony Pélasge – Chant d'Oisel

Le lendemain de cette entrevue, Pélasge se réveillait à cinq heures du matin, à bord de l'*Océola*, le plus beau bateau à vapeur qui fit alors le service de la côte entre la Nouvelle-Orléans et Bâton-Rouge. Quand il sortit de sa cabine, les premières lueurs de l'aurore teignaient en rose la surface tranquille du fleuve ; une fraîche brise du Sud dissipait la brume bleuâtre, que la nuit avait laissée derrière elle sur les champs de cannes à sucre. Il alla s'asseoir sur la galerie qui faisait face à l'Orient, et regarda le soleil se levant derrière le rideau lointain et sombre de la cyprière. Se rappela-t-il, en ce moment, ses promenades matinales d'autrefois dans les campagnes de son pays ? c'est probable ; pourtant il ne soupira pas de regret : il avait accepté de bonne grâce la position que les événements lui avaient faite, et, sans renoncer à l'avenir, il se concentrait tout entier dans le présent.

Antony Pélasge était d'une famille originaire des Cévennes. Parisien de naissance, il ne l'était pas de caractère. Il avait le sérieux que la persécution religieuse avait imprimé à l'esprit de ses ancêtres ; mais s'il avait la gravité d'un huguenot, la ressemblance entre lui et ses aïeux n'allait pas plus loin. C'était une nature essentiellement philosophique, une âme reposée et forte. Dès son enfance, il avait montré un goût prononcé pour l'étude. À seize ans, il terminait brillamment ses classes ; à dix-neuf ans, il sortait de l'École normale, signalé au ministre de l'Instruction publique comme un des plus capables parmi ses camarades ; à vingt ans, il enseignait la rhétorique dans un des collèges de Paris. Il eût certainement fait un chemin rapide dans la carrière universitaire, sans les troubles politiques qui en 1848 le jetèrent hors de sa voie. C'était l'homme des convictions ; en tout il cherchait la vérité, et, quand il l'avait trouvée, il y puisait une force de volonté qu'aucun obstacle ne pouvait abattre. Pour lui le progrès indéfini de l'esprit humain ne faisait aucun doute ; aussi, contemplait-il, dans un avenir certain, l'affranchissement général des peuples et leur fédération sur les bases d'un droit universel. La raison était sa religion ; la science était son culte ; il avait pour devise : *Savoir c'est être libre.*

Le temps s'écoule rapidement, quand on voyage dans un pays que l'on n'a jamais vu. Pélasge, en entendant sonner la cloche du déjeuner, eut de la peine à croire qu'il fût déjà neuf heures. Après le repas, les domestiques installèrent des tables de jeu. Saint-Ybars s'assit à l'une d'elles exclusivement occupée par des planteurs de sa connaissance. Les parties se succédèrent ; l'argent, l'or, les billets de banque formaient des tas qui grossissaient sans cesse. Pélasge, qui n'avait jamais touché une carte, et que les discussions des joueurs n'intéressaient nullement, sortit du salon. Il rencontra la fille de Saint-Ybars qui se promenait, accompagnée de Titia. Il engagea un entretien avec elle ; Titia en profita, pour aller dire quelques mots à Lagniape, qui était avec Fergus à l'avant du pont.

« Ainsi, continua Pélasge, mon futur élève, Mademoiselle, est votre jumeau : comment se nomme-t-il ?

— Il a deux noms, Monsieur, répondit la fillette, un vrai et un autre que mon grand-père lui a donné en jouant ; c'est ce dernier qui lui est resté. Il se nomme Edmond ; mais vous ne l'entendrez jamais appeler que Démon.

— Et vous, Mademoiselle, permettez-moi de vous demander votre nom.

— Vous allez rire, Monsieur ; moi aussi, j'ai deux noms. Comme ma marraine, je m'appelle Amélie ; mais il paraît que quand j'étais petite, mon bonheur était d'écouter le chant des oiseaux, et, quand j'étais seule, je chantais pendant des heures entières en regardant la campagne et le ciel. À cause de cela, mon grand-père qui a l'habitude de donner des sobriquets, dit un jour : “Eh bien ! puisqu'elle chante toujours comme ses amis les oiseaux, je la nomme Chant-d'Oisel ; c'est le nom du village d'où nos aïeux sont partis pour passer en Amérique.” Depuis ce temps-là, mon nom d'Amélie a disparu ; on ne le prononce que dans les grandes occasions. Mais vous pouvez, Monsieur, si vous voulez, m'appeler Amélie.

— Non, Mademoiselle, je ferai comme tout le monde : le surnom que vous a donné votre grand-père, est charmant ; je ne vous appellerai pas autrement que Chant-d'Oisel. Je ferai de même à l'égard de votre frère ; son nom pour moi, comme pour les autres, sera Démon... Il paraît qu'il a de la peine à apprendre.

— Oui, Monsieur ; c'est parce qu'il aime trop à jouer.

— Ah ! expliquez-moi cela, Mademoiselle, s'il vous plaît.

— Il est si brigand, Monsieur ! il n'aime que les exercices violents et dangereux. Ma mère tremble quand il est dehors ; il lui semble toujours qu'on va le ramener à la maison avec un membre cassé. Mais, il est adroit comme un singe ; il ne lui arrive jamais malheur. Il est toujours si impatient de courir au grand air, que je fais une partie de ses devoirs pour lui.

— Vous, Mademoiselle ? vous apprenez donc aussi le grec et le latin ?

— Oui, Monsieur, c'est moi-même qui l'ai demandé, pour aider mon frère.

— C'est très gentil de votre part, Mademoiselle.

— Monsieur, il apprend très bien avec moi, quand il est tranquille ; mais il est d'un caractère si turbulent ! c'est terrible. »

Pélasge demeura un instant silencieux ; il réfléchissait sur ces paroles de Chant-d'Oisel : "Il apprend très bien avec moi, quand il est tranquille."

« Mademoiselle, reprit-il, dites-moi, je vous prie : votre frère aime-t-il son professeur ?

— Pas trop.

— Pourquoi ?

— Parce que Monsieur Héhé l'humilie en l'appelant tête dure, esprit bouché.

— C'est Monsieur Héhé que se nomme son maître ? » demanda Pélasge d'un air étonné.

La fillette se mit à rire, et elle le fit de si bon cœur que sa gaîté se communiqua à son interlocuteur.

« Ce nom est encore une invention de mon grand-père, dit-elle ; il aime à donner des sobriquets, il ne vivrait pas sans cela. Le professeur de mon frère a un tic ; à chaque trois ou quatre phrases qu'il prononce, il ricane en disant *héhé*. C'est déplaisant ; il a toujours l'air de se moquer de vous. En parlant de lui, mon grand-père ne dit jamais que Monsieur Héhé : insensiblement tout le monde, à la maison, excepté cousine Pulchérie, a pris l'habitude de dire Monsieur Héhé. Son vrai nom est MacNara. »

Le petit babil de Chant-d'Oisel intéressait beaucoup Pélasge. Voyant en elle une enfant intelligente et spirituelle, il pensa qu'il pouvait, sans indiscrétion, s'éclairer en l'interrogeant.

« Monsieur votre grand-père, dit il, ne paraît pas grand admirateur de Monsieur Héhé.

— Ma foi, non ; c'est même lui qui a conseillé à mon père de changer de professeur pour Démon. Du reste, Monsieur Héhé a des élèves sur plusieurs habitations ; il ne pouvait nous faire qu'une heure de classe par jour. Grand-papa a été d'avis qu'il fallait avoir un maître à demeure.

— Est-ce qu'il est bien vieux, Monsieur votre grand-père !

— Oh ! je crois bien ; il a quatre-vingts ans.

— Vous avez l'air de l'aimer, Mademoiselle ; parlez-moi de lui.

— Grand-père est un savant.

— Ah !

— Oui, Monsieur ; depuis l'âge de cinquante ans, il a livré l'habitation entièrement à mon père, pour se consacrer à ses livres et à ses instruments de physique et d'astronomie ; il a aussi un laboratoire de chimie. Pour avoir sa tranquillité, il s'est fait construire une maison à un demi-mille de la nôtre. Il vient souvent dîner avec nous ; son couvert est toujours mis. Il a beaucoup voyagé dans son jeune temps. Pendant les vingt-cinq ans qu'il a géré l'habitation, il a augmenté considérablement sa fortune. Il est abonné à toutes les revues importantes, qui paraissent en Amérique et en Europe.

— Votre famille est nombreuse, Mademoiselle ?

— J'ai huit frères et six sœurs ; Démon et moi nous sommes les derniers. Quatre de mes frères et deux de mes sœurs sont mariés. Nous demeurons tous ensemble. Il y a chez nous une cousine de mon père, Mademoiselle Pulchérie ; elle partage avec ma mère l'administration de la maison.

— Je pense, Mademoiselle, que vous avez conservé les goûts qui vous ont valu votre joli nom de Chant-d'Oisel ?

— J'aime toujours les oiseaux, Monsieur, mais pas en cage ; vous en rencontrerez à chaque pas sur l'habitation, on ne leur fait jamais de mal ; ils sont familiers avec moi comme si j'étais un des leurs.

— Vous cultivez la musique, n'est-ce pas ?

— Oui, Monsieur, j'apprends le piano et le chant avec Mademoiselle Nogolka.

— Nogolka ? si je ne me trompe, c'est un nom russe.

— Oui, Monsieur ; ma maîtresse est de Moscou ; elle a achevé son éducation classique en France, et son éducation musicale en Italie ; elle a professé à Londres. Grand-père, qui s'y connaît, assure que personne ne possède mieux qu'elle le français, l'anglais, l'italien et l'espagnol ; elle est forte mathématicienne.

— Si j'en juge d'après vous, Mademoiselle, votre maîtresse pratique avec habileté l'art de l'enseignement ; je n'ai jamais rencontré de Parisienne de votre âge, qui parlât le français mieux que vous ; non seulement vous le parlez bien, mais vous n'avez pas le moindre accent. »

Lorsque Pélasge était parti de Cadix pour la Louisiane, il savait bien qu'il n'allait pas dans un pays de sauvages ; il était mieux renseigné que certain nouvelliste écrivant sérieusement, dans un journal du dimanche à Paris, que la Nouvelle-Orléans est située au bord de la mer, et que chaque année, à la fête des *voudoux*, on y mange un petit enfant tout vivant. Cependant, bien qu'il sût qu'il était chez un peuple civilisé, il ne s'était pas attendu aux mœurs raffinées dont la fille de Saint-Ybars lui offrait un échantillon. Il réfléchit sur tout ce qu'elle venait de lui dire ; et, comme il était naturellement circonspect, il se promit de se tenir sur ses gardes, en entrant dans le milieu où ses fonctions de professeur l'appelaient à vivre.

III
L'Habitation – Vieumaite

L'*Océola* était en retard de plusieurs heures ; l'épais brouillard qui avait couvert les eaux et les rives du Mississippi, la nuit précédente, l'avait forcé à ralentir sa marche, plusieurs fois même à s'arrêter. Il était deux heures de l'après-midi, quand Saint-Ybars, averti par le sifflet, se disposa à débarquer. Son habitation était située sur la rive gauche ; on la reconnaissait de loin à son *wharf*, sur lequel s'élevait un élégant pavillon destiné à servir d'abri contre la pluie ou les ardeurs du soleil.

Une voiture attelée de deux chevaux magnifiquement harnachés, attendait Saint-Ybars sur la voie publique, au bas de la *Levée*. Il y monta avec sa fille et Pélasge ; Titia s'assit à côté du cocher. Un domestique reçut l'ordre de conduire Fergus auprès du maître de forge. Une vieille négresse, qui ramassait du bois de dérive, fut chargée de faire prendre à Lagniape un sentier qui abrégeait la route. Une belle porte cochère donnant sur le chemin public, s'ouvrit ; la voiture entra, et roula sur une chaussée que bordait, à droite et à gauche, une allée de chênes. Au bout de l'avenue, à un demi-mille de distance, on voyait la maison du riche planteur au milieu d'un grand jardin.

La demeure de Saint-Ybars était dans le style des maisons de campagne louisianaises ; elle en différait seulement par ses proportions plus grandes, et par la disposition particulière du toit. Elle formait un vaste carré dont chaque côté, au rez-de-chaussée et au premier étage, présentait une galerie avec huit colonnes sur chaque face ; les colonnes d'en bas étaient d'ordre dorique, celles d'en haut d'ordre corinthien. Le vieux Saint-Ybars qui l'avait fait bâtir, ne lui avait pas donné le toit aigu généralement adopté. S'inspirant de l'architecture si bien raisonnée de la vieille Espagne, il l'avait couverte d'une terrasse encadrée d'une balustrade ornée de pots à fleurs. Deux escaliers conduisaient à cette terrasse, où souvent la famille se réunissait, après le coucher du soleil, pour contempler la campagne et respirer l'air frais du soir. La façade, l'aile droite et l'aile gauche donnaient sur le jardin, où l'on voyait réunis les arbres indigènes les plus beaux et quantité de végétaux exotiques. Derrière la maison, une grande cour plantée de magnolias, conduisait aux cuisines et aux chambres à repasser. Le centre de cette cour était occupé par un puits d'un diamètre de six pieds. Plus loin, était le corps de logis des domestiques affectés exclusivement au service de la maison. Derrière ces logements, un bois d'orangers entretenait une ombre délicieuse ; puis, au-delà s'étendait un immense enclos dans lequel étaient l'hôpital et ses dépendances, les écuries du maître, des échoppes de selliers, de cordonniers, de menuisiers, une salle de bal pour les esclaves, et enfin un jardin potager.

Pélasge, remarquant une centaine de maisonnettes blanches et une maison à deux étages, qui luisaient au soleil, sur la lisière d'un champ de cannes à sucre, et, plus loin encore, un amas de grosses constructions, crut que c'étaient deux villages. Il en parla dans ce sens à Saint-Ybars, qui lui répondit en souriant que c'étaient d'une part les cabanes de ses nègres avec la maison de l'économe, et d'autre part la sucrerie ; il lui expliqua que chaque cabane contenait deux logements, et que la sucrerie formait un département où se trouvaient réunis, autour de l'usine à vapeur fabriquant le sucre, une scierie, une tonnellerie, des forges, des écuries, une échoppe de charpentier, des hangars et des greniers pour le foin et les grains.

La plantation de Saint-Ybars embrassait, dans son ensemble, un terrain d'un mille et demi de face sur trois de profondeur. Il avait quatre cents esclaves, hommes et femmes, pour les travaux des champs, dix-huit ouvriers spéciaux, dix jardiniers, vingt domestiques pour le service de la maison, deux cents mulets, trente chevaux dont douze de luxe, une vacherie, des troupeaux de moutons et de chèvres, plusieurs basses-cours, un vivier, quatre colombiers, vingt-cinq chiens de chasse, un énorme dogue qu'on lâchait seulement la nuit, pour garder la maison.

Une discipline sagement raisonnée s'appliquait à tout le personnel de ce domaine, maîtres et esclaves. Saint-Ybars était sévère, mais juste. Malheureusement, il était sujet à des accès de colère, qui quelquefois étaient d'une telle violence qu'ils faisaient douter de sa raison et de la bonté naturelle de son cœur. Mais il était celui qui souffrait le plus de ses emportements ; car, à ses explosions de fureur succédait une tristesse amère qui durait une semaine. Il aimait tendrement son père, et le vénérait ; mais, à son tour, il exigeait que ses enfants, dont il se savait aimé, eussent pour lui-même le plus grand respect. Aussi, quand on le vit arriver avec Chant-d'Oisel, tous les membres présents de la famille allèrent-ils au-devant de lui, pour le saluer et l'embrasser.

La voiture s'arrêta sous un groupe de palmiers dont les tiges élancées montaient jusqu'au niveau de la balustrade du toit.

À la manière dont chacun caressa Chant-d'Oisel, Pélasge comprit qu'elle était la gâtée de la maison. Elle s'empressa de demander des nouvelles de Démon ; on lui apprit qu'il était sorti avec son trébuchet, pour attraper des papes.

Quelques minutes après le retour de Saint-Ybars, la première cloche pour le dîner sonna. Chacun se retira, pour rafraîchir sa toilette. Un des frères de Démon conduisit Pélasge à la chambre qu'on lui destinait ; elle était située à l'extrémité de la galerie, à gauche, faisant face au fleuve.

Il la trouva entièrement de son goût. Après en avoir contemplé les détails avec plaisir, il s'avança sur la galerie, et parcourut du regard tout le tableau qui s'étendait entre la maison et le fleuve. Il vit deux hommes à cheval entrer dans l'avenue qu'il venait de suivre, quelques instants auparavant, avec Saint-Ybars et Chant-d'Oisel. À mesure que les cavaliers s'approchèrent, il distingua un vieillard suivi d'un jeune nègre. Quand ils furent arrivés, le jeune nègre sauta à terre avec la souplesse d'une panthère, et alla tenir le cheval de son maître ; le vieillard descendit plus prestement que n'eussent fait beaucoup d'hommes moins âgés que lui. Saint-Ybars accourut, embrassa le vieillard, et ces paroles arrivèrent aux oreilles de Pélasge :

« Mon père, comment vous portez-vous ?

— Très bien, mon fils ; toi aussi, à ce que je vois. Et Chant-d'Oisel !

— Parfaitement. J'ai encore fait une folie pour elle.

— Ah ! qu'est-ce donc ?

— J'ai acheté une jeune femme dont elle avait envie.

— Tu as bien fait, mon fils ; il faut, autant qu'on peut, rendre les enfants heureux ; on ne sait pas ce que l'avenir leur réserve ; une satisfaction accordée à une fillette par son père, même au prix d'un excès de complaisance, c'est autant de gagné pour elle dans cette partie d'échecs que tous, jeunes ou vieux, nous jouons avec le sort.

— Je crois, continua Saint-Ybars, que j'ai eu la main heureuse pour Démon ; j'ai trouvé un jeune professeur qui paraît très bien.

— Tant mieux, mon fils, mille fois tant mieux ; Démon est terriblement en retard ! espérons que le nouveau précepteur saura lui faire rattraper le temps perdu. Ton Monsieur Héhé, n'en déplaise à cousine Pulchérie, est, avec toute son érudition, un maladroit qui n'a jamais su... »

Pélasge n'entendit pas la fin de la phrase ; le vieux Saint-Ybars et son fils avançaient tout en parlant ; leurs paroles se perdirent sous la galerie. Quand leurs pas retentirent sur l'escalier, qui conduisait du rez-de-chaussée à la galerie d'en haut, il alla au-devant d'eux et salua le vieillard. Cette marque empressée de déférence fut une heureuse inspiration ; elle plut beaucoup à Saint-Ybars, et non moins à son père.

Sur l'habitation on appelait le père de Saint-Ybars vieux maître, ou comme disaient les nègres en un seul mot *Vieumaite* ; nous le nommerons de la même manière.

Vieumaite était, comme son fils, haut de taille, mais un peu courbé ; ce n'était pas le poids de l'âge qui l'inclinait ainsi en avant, mais bien l'habitude de se tenir penché sur ses livres et ses paperasses. Au besoin, il se redressait ; alors, son front était de niveau avec celui de son fils.

Au premier abord, Pélasge ne se rendit pas compte de l'impression extraordinaire que Vieumaite produisit sur lui ; elle tenait à ce que les deux côtés de la figure du vieillard ne se ressemblaient pas. Les peintres et les statuaires, que leur art oblige à étudier alternativement tous les traits du visage, savent très bien que ses deux moitiés ne sont jamais identiques ; mais jamais ni peintre ni statuaire ne vit cette dissemblance poussée aussi loin que chez le père de Saint-Ybars. Elle commençait à la tête : à droite, ses cheveux se dressaient comme une crinière de lion furieux ; à gauche, ils tombaient d'un air éploré sur la tempe et le front. L'œil droit, d'un beau bleu de ciel, était largement ouvert ; il en sortait une lumière vive mais douce. L'œil gauche se voyait à peine entre des paupières demi-closes ; il s'en échappait un rayon mince, froid, pénétrant. À droite, les lèvres étaient prononcées et bienveillantes ; à gauche, elles étaient fortement tirées en bas, exprimant la défiance ; cette expression de défiance était d'autant plus accusée, que le vieillard avait la singulière habitude de tenir entre ses dents, de ce côté, une petite branche de cyprès dont le poids augmentait l'abaissement de sa bouche. Fait curieux, Vieumaite ne regardait jamais que d'un côté ; du côté droit, si on lui plaisait et s'il avait confiance ; du côté gauche, quand il se tenait sur ses gardes, ou quand il n'aimait pas la personne placée devant lui.

Les nègres, on le sait, ne laissent jamais passer inaperçues les particularités physiques ou morales de leurs maîtres ; ils les désignent toujours par quelque mot bien approprié. Sur l'habitation Saint-Ybars, les esclaves appelaient la moitié droite du visage de Vieumaite *le côté du soleil* ; la moitié gauche *le côté de l'ombre.* Quand ils le voyaient venir, ils disaient, selon les circonstances, avec la précision du langage créole : « Coté soleil ou coté lombe apé vini. »

Saint-Ybars laissa Pélasge avec son père. Le vieillard engagea la conversation, en opposant à son interlocuteur le côté de l'ombre. Pélasge ne tarda pas à comprendre que le grand-père de Démon, en lui fournissant avec courtoisie l'occasion de prendre la parole, le sondait ; acceptant l'épreuve sans crainte comme sans ostentation, il parcourut rapidement la gamme des connaissances humaines ; il passa de l'histoire à la philosophie, et de celle-ci aux sciences ; puis, remontant dans le passé, il prit la poésie à sa source dans Homère, et la suivit à travers les âges dans Virgile, Dante, Milton, Byron, Lamartine et Hugo. Il dessina, en quelques traits, les antiques poèmes de l'Inde et de la Judée. À mesure qu'il parlait, la tête de l'octogénaire pivotait insensiblement sur son cou ; peu à peu le côté de l'ombre s'effaça, le côté du soleil parut. Étonné de la science et de l'érudition du jeune professeur, Vieumaite éprouvait une joie mêlée d'admiration en l'entendant parler, dans un langage simple mais chaud d'enthousiasme, des choses que lui-même il aimait avec passion.

Quand la seconde cloche du dîner retentit, Pélasge avait entièrement fait la conquête du vieux Saint-Ybars.

IV
La Famille à table

La salle à manger était au rez-de-chaussée. Elle formait un rectangle dont chaque grand côté était éclairé par cinq portes vitrées, celle du milieu étant cintrée et plus large que les autres ; elles donnaient sur les galeries. Un des petits côtés avait trois portes vitrées ; l'autre deux séparées par une cheminée ; elles conduisaient à l'office, aux caves et à différentes pièces se rapportant au service de la table.

Quand Vieumaite entra dans la salle à manger, appuyé sur le bras que Pélasge lui avait offert avec un respect filial, le premier service était sur la table, et tous les convives attendaient, debout, le vénéré chef de la famille. Il y avait vingt-quatre couverts. Vieumaite présenta le nouveau professeur aux personnes qui ne l'avaient pas encore vu, et s'assit. Après lui Saint-Ybars s'assit ; puis, chacun prit sa place. Trois sièges étaient inoccupés ; l'un était celui de Démon, les deux autres étaient réservés aux hôtes que le hasard pouvait amener. La chaise restée vide à côté de Pélasge, était celle de son futur élève. Les deux bouts de la longue table étaient occupés, l'un par Saint-Ybars, sa fille aînée et son mari, Chant-d'Oisel et Mlle Nogolka ; l'autre par Vieumaite, une de ses petites-filles et son mari, et Pélasge. Mme Saint-Ybars avait sa place au milieu de la rangée, à la droite de son mari ; Mlle Pulchérie était vis-à-vis d'elle.

Quatre jeunes nègres, une mulâtresse et trois quarteronnes se tenaient autour de la table, attentifs à leur besogne. À l'un des coins de la salle, un nègre du plus beau noir, à physionomie intelligente, se tenait debout près d'une table en chêne massif ; il remplissait les doubles fonctions de maître d'hôtel et d'écuyer tranchant.

Au-dessus des convives, deux éventails suspendus au plafond étaient mis en mouvement par deux négrillons de quatorze à quinze ans.

Sur un signe du maître d'hôtel, les soupières posées sur la table lui furent apportées. Dans un temps très court, vingt et une assiettes pleines d'un excellent potage étaient placées devant les convives, et le dîner commençait. La conversation s'étant engagée sur des questions particulières au pays, Pélasge resta discrètement silencieux ; ce qui lui permit de faire connaissance avec tous les visages de la famille. Il regardait et réfléchissait, évitant avec soin de prendre les airs d'un philosophe ou d'un éplucheur. Mme Saint-Ybars lui plut ; elle avait une expression de grande douceur et de résignation un peu triste. Mlle Pulchérie ne le séduisit pas ; elle lui parut pétrie d'orgueil et de sots préjugés. Il remarqua qu'elle donnait plus d'ordres aux domestiques que Mme Saint-Ybars ; elle parlait haut et d'un ton impérieux. Elle n'avait jamais été demandée en mariage, et il n'était pas probable, avec ses quarante-cinq ans, qu'elle dût l'être jamais. Elle était du sang des Saint-Ybars. Comme tous les gens de cette lignée, elle était d'une taille élevée ; mais encore plus grosse que grande, elle était obligée, pour faire contre-poids à la masse énorme de sa gorge, de tenir ses épaules et sa tête rejetées en arrière, ce qui lui donnait un air de reine dédaigneuse et mécontente. Par ses manières tranchantes et dominatrices, elle avait pris beaucoup d'empire sur Saint-Ybars ; il avait plus de confiance en son jugement qu'en celui de sa femme. Mme Saint-Ybars, qui avant toute chose voulait la paix, cédait toujours à la terrible cousine, quand celle-ci, dans une discussion quelconque, opposait à ses raisons une avalanche de paroles et de cris.

Mlle Pulchérie avait un faible pour M. Héhé.

Mlle Nogolka fut une des personnes qui attirèrent le plus l'attention de Pélasge. Il se demanda quel âge elle pouvait avoir. Il n'était pas facile de répondre. Les cheveux de l'institutrice étaient déjà presque blancs ; mais sa figure, bien que fatiguée et décolorée, accusait au plus vingt-cinq ans. Sa physionomie avait un caractère de concentration profonde, quelque chose de mystérieusement tragique ; il sembla à Pélasge qu'elle devait vivre beaucoup de la vie intérieure. Mais dans cette retraite en elle-même, de quelles pensées se nourrissait-elle ? « Voila des yeux, se dit Pélasge, qui ont beaucoup pleuré, ou beaucoup veillé pour lire et écrire. Que peut-il y avoir dans le passé de cette intéressante personne ? un chagrin peut-être, dont le souvenir l'obsède encore. Qui sait ? peut-être la préoccupation douloureuse dont elle s'alimente, a-t-elle ses racines dans le présent. »

Pélasge regarda encore une fois Mlle Nogolka.

« Elle a dû être bien belle, se dit-il ; elle l'est encore, ma foi. Ses cheveux blancs ne la déparent pas du tout ; elle ressemble à une jeune femme du temps où l'on se poudrait la tête. »

Pélasge ramena ses yeux sur son assiette, et continua son monologue mental. Quand il releva la tête, Mlle Nogolka avait les yeux fixés sur lui.

« De son côté elle m'observe, pensa-t-il : quelle idée peut-elle se former de moi ? En tout cas, je ferai de mon mieux pour m'attirer son estime ; elle paraît trop distinguée, trop intelligente, pour que je n'aie pas à cœur de lui inspirer une bonne opinion de moi. »

On allait passer au rôti, lorsque plusieurs enfants, les uns noirs, les autres bruns plus ou moins clairs, vinrent se ranger en demi-cercle près de Saint-Ybars. Nés des parents attachés au service de la maison, ils étaient bien différents des enfants dont les pères et mères travaillaient aux champs ; toujours en contact avec leurs maîtres, ils étaient beaucoup plus éveillés et plus espiègles que les négrillons du camp.

« Ah ! vous voici, vous autres, mauvais sujets, dit Saint-Ybars : êtes-vous tous propres ? chacun a-t-il son tablier ? »

La petite bande répondit en chœur : « Oui, maite » ; et chacun à son tour montra le dessus et le dedans de ses mains.

Saint-Ybars remplit lui-même plusieurs assiettes de ce qu'il y avait de meilleur sur la table, et les distribua aux enfants. Ils allèrent s'asseoir dans un coin de la salle à manger, sur une grande toile cirée, chacun son assiette entre les jambes.

Vieumaite, lisant dans la pensée de Pélasge, lui dit :

« Ce trait de mœurs vous étonne ; il est pourtant bien naturel. Ces enfants naissent à côté des nôtres, ils partagent leurs jeux ; chacun d'eux a pour parrain un de mes petits-fils, pour marraine une de mes petites-filles. Il sont soumis et aimants ; ils serait impossible de ne pas les gâter.

— Ceci m'ouvre toute une perspective, répondit Pélasge ; je commence à apercevoir, entre maîtres et esclaves, des liens d'affection que je ne soupçonnais pas. »

On ne connaît bien un état social qu'autant qu'on le voit de ses propres yeux, et sous toutes ses faces. Pélasge ne pouvait, dans aucun cas, approuver l'esclavage ; mais, en vivant en Louisiane, il devait s'initier aux causes qui peuvent, sous le toit de maîtres intelligents et bons, atténuer une institution basée sur la violation du droit humain. Il fut interrompu dans ses réflexions, par l'entrée d'un Monsieur qui de prime abord produisit sur lui une impression peu favorable. Le nouveau venu était un homme d'une trentaine d'années, aux formes rondes et dodues, au visage fleuri et orné de favoris en côtelettes, aux cheveux rouges, partagés par le milieu comme ceux d'une femme. Tenant d'une main son chapeau, de l'autre un gros bouquet, il fit cinq ou six saluts exagérés, en disant :

« Mesdames et Messieurs, votre serviteur très humble, héhé... Mademoiselle Pulchérie me fera-t-elle l'honneur d'accepter ce bouquet ?

— Les magnifiques fleurs ! s'écria Mademoiselle Pulchérie ; vous êtes vraiment trop aimable : oh ! c'est charmant. »

Et Mademoiselle Pulchérie sourit ; si toutefois l'on peut donner le nom de sourire au disgracieux écartement qui s'opéra entre les extrémités opposées de sa large bouche. Elle se fit apporter un pot en argent qu'elle plaça devant elle, y mit le bouquet, et s'extasia sur le bon goût avec lequel il était composé.

Saint-Ybars se leva, et dit au nouveau venu en montrant Pélasge :

« Monsieur MacNara, permettez-moi de vous présenter Monsieur Antony Pélasge, votre remplaçant auprès de mon plus jeune fils.

— Ah ! Monsieur est mon successeur, dit MacNara en mettant ses besicles sur son nez et en s'approchant de Pélasge ; je suis enchanté de faire votre connaissance, Monsieur, enchanté, héhé. Je ne doute pas que vous ne tiriez meilleur parti que moi du terrain difficile – *ager jejunus* – qui vous est confié. Moi, voyez-vous, Monsieur, moi, je l'avoue à ma honte, je n'ai pas la patience que réclament certains élèves. Il me faut, à moi, des enfants à compréhension prompte ; ces enfants-là font avec moi des progrès incroyables, témoin les deux autres fils Saint-Ybars dont je fais l'éducation : quoiqu'ils aient seulement l'un quinze ans, l'autre treize et demi, ils vous traduiront à livre ouvert Thucydide et Tacite, quand vous voudrez, héhé. »

Pélasge, qui s'était levé, s'inclina respectueusement comme pour dire qu'il n'avait pas le droit d'empêcher M. MacNara de faire son propre éloge.

Mlle Pulchérie invita gracieusement M. MacNara à prendre place à côté d'elle. Le dessert allait être servi. M. MacNara aimait les sucreries ; Mlle Pulchérie le savait.

M. MacNara, ou, pour lui appliquer le surnom que lui avait donné le vieux Saint-Ybars, M. Héhé était irlandais de naissance ; mais, élevé au Canada par des jésuites venus de France, la langue française était celle qu'il parlait de préférence. Outre ses études classiques, il avait suivi un cours de théologie. Après avoir professé trois ans dans une institution catholique, à Baltimore, sa santé s'étant altérée, il se décida, sur l'avis des médecins, à poursuivre sa carrière au Sud. Le climat lui fut on ne peut plus favorable ; Pélasge n'aurait jamais soupçonné, à sa mine florissante, que sa poitrine eût, quelques années auparavant, donné des inquiétudes.

M. Héhé n'avait pas eu de peine à s'identifier avec les idées et les mœurs du Sud. Non seulement il trouvait l'esclavage des nègres légitime, mais il croyait que parmi les hommes de race blanche, les uns naissent pour commander, les autres pour obéir. Naturellement il se classait parmi les privilégiés nés pour commander. Jamais homme au monde ne fut plus fier et plus heureux que lui, le jour où il acheta un vieux nègre à l'encan.

Conseillé et protégé par Mlle Pulchérie, M. Héhé s'était fait une jolie petite fortune. Maintenant, prenant ses aises, il n'acceptait que les élèves qui lui convenaient. Il allait d'habitation en habitation, dans une élégante voiture dont Saint-Ybars lui avait fait cadeau, se bornant à donner des leçons d'histoire et de littérature. Il était bavard, grand conteur d'anecdotes, ayant toujours quelque chose de meilleur à dire que les autres. Après le récit, ce qu'il aimait le mieux c'était de faire de l'esprit. Non seulement il mettait son cerveau à la torture, pour en tirer des jeux de mots, mais il apprenait par cœur tous ceux qu'il trouvait dans les journaux.

M. Héhé fit observer que Démon ne paraissait pas encore, quoique l'on fût déjà au dessert.

« Ah ! par exemple, ajouta-t-il en regardant du côté de Pélasge, si mon estimable collègue parvient à enseigner l'exactitude à son élève, je le proclame le phénix des professeurs. Quant à moi, je n'ai jamais pu en obtenir, deux jours de suite, qu'il fût à table au commencement du repas.

— Démon vient après les autres, dit Chant-d'Oisel, parce qu'il mange vite et peu ; quand il a fini, il s'ennuie à table.

— D'accord, Mademoiselle, reprit M. Héhé ; mais si votre frère avait cette avidité d'apprendre que montrent les enfants destinés à briller un jour dans le monde, il resterait tout le temps à table pour écouter la conversation des grandes personnes. Un enfant gagne toujours beaucoup aux entretiens d'un homme instruit et maître de sa langue. Démon ne sait pas écouter ; c'est malheureux, mais c'est un fait. J'en appelle à Mlle Pulchérie.

— Parfaitement, grommela Mlle Pulchérie ; mais qu'y faire ? M. Démon préfère la conversation des nègres ; il est toujours fourré dans la cuisine.

— Démon quitte la table, remarqua Chant-d'Oisel, quand on parle de choses qu'il ne comprend pas. Il aime à entendre les nègres raconter des contes, parce que rien de ce qu'ils disent ne lui échappe.

— Si Mademoiselle ne cherchait pas à excuser son frère, dit aigrement Mlle Pulchérie, ce serait bien extraordinaire.

— Tu as raison, Chant-d'Oisel, riposta Vieumaite ; il faut toujours prendre la défense des absents. Je trouve, moi, que Démon fait preuve d'intelligence en n'écoutant que ce qu'il comprend. Il aime les contes des nègres ? c'est bien naturel. Qui de nous, à son âge, ne les a pas écoutés avec plaisir ? Du reste, ne nous y trompons pas, il y a dans ces récits, outre l'intérêt du drame, une malice quelquefois très fine. »

V
Démon

Vieumaite en eût probablement dit davantage sans le vacarme qui se fit tout à coup dans la cour : les négrillons poussaient des cris de joie, les chiens aboyaient, les coqs des basses-cours se répondaient par des signaux d'alarme.

Un petit nègre, les yeux hors de la tête, entra avec fracas dans la salle à manger, et dit à Saint-Ybars :

« Cé michié Démon : li trapé deu pap, mal é fumel[1]. »

Immédiatement après ce négrillon, Pélasge vit entrer un jeune garçon dont la ressemblance avec Chant-d'Oisel lui apprit que c'était son jumeau. Mais autant la physionomie de la sœur était paisible, autant celle du frère était animée ; ses yeux pétillaient de joie ; ses joues, enflammées par la double influence du succès et du soleil, étaient couvertes de poussière et ruisselaient de sueur. Tous les boutons de sa chemise étaient partis ; sa veste et son pantalon de coutil étaient déchirés en plusieurs endroits, et tachés de boue et de jus d'herbe. Son chapeau de paille à large bord doublé en percale verte, était rejeté en arrière, laissant tomber sur son front ses cheveux châtains et bouclés. Il tenait sous son bras gauche un trébuchet à deux compartiments ; dans le compartiment supérieur, un pape empaillé était fixé dans l'attitude du combat ; dans le compartiment d'en bas, deux prisonniers s'agitaient dans tous les sens, éperdus de surprise et de colère.

Démon ôta son chapeau, dit bonjour à son père, sa mère, son grand-père, et courut à Chant-d'Oisel ; il posa son trébuchet sur le plancher, essuya rapidement son visage avec son mouchoir, et serra sa sœur dans ses bras. Mme Saint-Ybars lui dit de venir près d'elle.

---

[1] C'est monsieur Démon : il a attrapé deux pinsons, un mâle et une femelle.

« Quel enfant, mon Dieu ! s'écria-t-elle ; te voici dans un bel état. Mais tu dois mourir de faim. Dire qu'il est parti depuis huit heures du matin ! Tu ne peux donc pas rester à la maison.

— Mais, maman, répondit l'enfant, je ne suis pas une petite fille, moi, pour rester tranquille à la maison.

— Ah ! oui, voilà ton grand mot, ton cheval de bataille, dit Mme Saint-Ybars ; tu ne veux, à aucun prix, avoir l'air d'une petite fille. Allons, va te laver et changer d'habits, pour que ton père te présente à ton nouveau professeur. »

Démon ouvrit de grands yeux, et regarda tout autour de la table.

« Madame, je vous en prie, dit Pélasge en se levant, laissez M. Démon venir près de moi tel qu'il est. »

Démon, honteux de l'état dans lequel était toute sa personne, s'approcha timidement ; Pélasge alla à sa rencontre, et lui prit affectueusement la main. La physionomie de l'enfant changea subitement, elle devint douce et pensive. Pélasge sentit la petite main qu'il tenait serrer la sienne ; Démon et lui se regardèrent et sourirent ; sans se parler, ils se disaient dans le langage mystérieux de la sympathie : « Nous serons amis. » Ce début affectueux ne fut pas du goût de M. Héhé. Il eût bien voulu dire une méchanceté : mais n'en trouvant pas d'assez piquante, il se contenta de se renverser sur sa chaise, en prenant l'air le plus sarcastique possible. Mlle Pulchérie vint à son secours. Bon ou mauvais, elle trouvait toujours un mot à répondre ; il est vrai que souvent, au lieu d'être spirituelle, elle n'était que grossière.

« Ce Monsieur, dit-elle en regardant Pélasge, a l'espoir de faire mieux que son prédécesseur. Hum ! c'est ce qui s'appelle avoir confiance en soi. Je serais curieuse d'assister à sa première leçon. »

Pélasge s'inclina poliment, et s'adressant à Saint-Ybars :

« Pour première leçon, si vous le permettez, Monsieur, dit-il, je donnerai trois jours de congé à mon élève ; nous visiterons ensemble l'habitation, il m'en expliquera les détails.

— Commencez comme vous le jugerez convenable, Monsieur, répondit Saint-Ybars ; du moment que je vous confie mon fils, c'est à vous de disposer de son temps.

— Cette manière de commencer me plaît beaucoup, dit Vieumaite ; si cousine Pulchérie saisit l'intention de M. Pélasge, elle doit trouver comme moi que son idée est excellente.

— Je connais quelqu'un qui est content, dit Chant-d'Oisel en souriant à son frère.

— En tout cas, ajouta Saint-Ybars, M. Pélasge ne pouvait trouver de meilleur cicérone ; si quelqu'un peut lui faire connaître l'habitation jusque dans ses plus petits coins et recoins, c'est bien Démon.

— Va t'habiller, dit Mme Saint-Ybars à Démon, et reviens dîner.

— Oui, maman, mais d'abord je vais montrer mes papes à Mamrie.

— Ah ! oui, c'est vrai, Mamrie avant tout, reprit Mme Saint-Ybars en regardant Pélasge ; il aimerait mieux se passer de dîner que de ne pas montrer ses captifs à Mamrie. »

Pélasge demanda qu'on voulût bien lui dire quelques mots de cette Mamrie qui pour Démon passait avant tout.

VI
Mamrie

Mamrie était la femme de chambre de Mme Saint-Ybars ; elle remplissait aussi les fonctions de surintendante. Aux heures des repas, elle se tenait à la cuisine et présidait à l'expédition des mets. C'était un vrai type de négresse créole. Elle était née de parents nés eux-mêmes sur l'habitation Saint-Ybars. Son grand-père et sa grand-mère, importés du pays des Bambaras, vivaient encore ; ils prétendaient avoir été roi et reine en Afrique ; comme preuve de leur dire, ils montraient le tatouage de leur figure.

Mamrie avait la peau extrêmement fine et d'un noir brillant, des cheveux touffus, doux au toucher, de grands yeux mourants et pleins de bonté. Mais on ne la connaissait qu'à demi, tant qu'on ne l'avait pas vue rire, et que l'on n'avait pas entendu le son de sa voix. Elle était d'une gaîté communicative ; son parler avait des modulations qui vous allaient au cœur, tant elles révélaient une nature affectueuse et facile à émouvoir. Elle avait vingt-six ans. À treize ans elle était déjà mère. Son enfant avait quatre mois, lorsque Mme Saint-Ybars mit au monde Démon et Chant-d'Oisel. Huit jours après la naissance des jumeaux, une maladie malheureusement commune dans ce pays, le tétanos, emportait l'enfant de Mamrie. Elle en eut un chagrin si profond que sa constitution en fut ébranlée : on la vit dépérir rapidement, à tel point que l'on commença à craindre pour sa poitrine.

Un enchaînement de circonstances imprévues vint conjurer le danger dont Mamrie était menacée.

Il y avait une semaine que Mme Saint-Ybars allaitait ses nouveau-nés, lorsqu'elle eut plusieurs frissons, à la suite desquels elle éprouva des douleurs aiguës aux deux seins. Une nuit, malgré tout son courage, elle ne put supporter l'atroce torture qu'elle éprouvait toutes les fois qu'elle voulait apaiser la soif des enfants. Mamrie couchait dans une chambre voisine de celle de sa maîtresse ; l'entendant se plaindre, elle se leva, prit les jumeaux, et s'assit dans une berceuse pour les dodiner. Elle finit par s'assoupir. Le laisser-aller du sommeil lui fit prendre une attitude si penchée, que l'extrémité de son sein droit se trouva en contact avec les lèvres du petit garçon. Mamrie rêvait ; elle se voyait dans le jardin, assise au pied d'un arbre : son enfant n'était pas mort, et elle goûtait cette sainte et douce sensation qu'éprouve une mère qui allaite son enfant. Elle en ressentit une joie si vive qu'elle se réveilla. Quel ne fut pas son étonnement en voyant, à la lueur de la veilleuse, une petite bouche rosée fortement appliquée à sa poitrine ! La petite fille s'étant mise à crier, elle lui donna l'autre sein qui ne fut pas refusé.

Mme Saint-Ybars était la marraine de Mamrie.

La jeune esclave appela sa maîtresse, et lui dit :

« Hé ! nénaine, ga : vous piti apé tété moin[1].

— Tu as donc encore du lait ! demanda Mme Saint-Ybars.

— Fo croi mo gagnin ancor ain ti goutte. Mo réponne yapé tiré for[2].

— Pour sûr tu en as, Mamrie, puisque les enfants ne crient plus. »

Les jumeaux satisfaits s'endormirent dans les bras de la jeune négresse, qui elle-même s'abandonna au sommeil.

Mme Saint-Ybars, atteinte d'abcès multiples, dut renoncer au bonheur d'allaiter ses jumeaux. Mamrie la remplaça. Le lait de l'esclave revint en abondance : on vit renaître sa santé et sa gaîté. Elle s'attacha à ses nourrissons ; elle les aima comme s'ils eussent été ses propres enfants. Cependant on remarqua, dès le commencement, qu'elle avait une préférence pour le petit garçon.

Mamrie avait toujours été une des domestiques les plus gâtées par Mme Saint-Ybars ; alors, elle le fut plus que jamais ; elle fit, pour ainsi dire, partie intégrante de la famille, à tel point qu'en parlant des

---

[1] Hé, marraine, regardez : vos petits me tètent.

[2] Il faut croire que j'en ai encore une petite goutte. Je sens comme ils tirent fort.

jumeaux on s'habitua à dire *les enfants de Mamrie*. Mme Saint-Ybars elle-même lui disait, le matin : « Tes enfants ont-ils passé une bonne nuit ? ».

Le nom primitif de cette jeune femme était Marie. Quand les jumeaux commencèrent à parler, on voulut leur apprendre à l'appeler *maman Marie* ; mais l'un et l'autre, comme par un accord tacite, transformèrent maman Marie en *Mamrie*, et ce nom resta à leur nourrice.

À mesure que les jumeaux grandirent, on vit s'accentuer davantage la préférence de Mamrie pour Démon. Loin d'en être jalouse, Chant-d'Oisel trouvait naturel qu'il en fût ainsi ; son frère étant l'être qu'elle aimait le plus au monde, elle pensait qu'il était juste qu'il occupât la première place dans le cœur de leur nourrice.

De jour où Mamrie avait commencé à aimer Démon, une révolution extraordinaire s'était opérée en elle ; les hommes lui étaient devenus complètement indifférents. Jolie, bien faite, d'un caractère charmant, elle avait plu, dès l'âge de douze ans, à l'un de ces modestes habitants que l'on appelle *petits blancs*. C'était un Alsacien : sobre, laborieux, économe, sûr d'arriver à une honnête fortune, ne dépendant de personne, doué d'ailleurs d'un caractère ferme, il n'avait pas fait un mystère de son affection pour Mamrie. Comme il était bon et très doux, elle avait répondu à son attachement. Quand elle devint mère, il se présenta chez Saint-Ybars et lui offrit de l'acheter, elle et son enfant, son intention étant de les faire libres. Mamrie était une esclave de choix, elle devait coûter cher ; le petit blanc s'était attendu au prix élevé qu'on en demanda ; il fixa lui-même la date à laquelle il apporterait la somme convenue. Sur ces contrefaites, Démon et Chant-d'Oisel naquirent, et l'enfant de Mamrie mourut. Le petit blanc n'en persista pas moins dans son intention d'acheter la jeune esclave, pour en faire sa compagne. Mais les idées de Mamrie avaient changé ; elle lui déclara que pour rien au monde elle ne se séparerait de ses nourrissons, et que jamais elle n'aurait d'autre enfant. L'Alsacien employa tous les arguments que pouvaient lui suggérer son esprit et son cœur, pour la faire revenir sur sa résolution : mais il n'y réussit pas. Pendant les dix années qui s'écoulèrent entre la naissance des jumeaux et l'arrivée de Pélasge sur l'habitation, d'autres hommes firent des avances à Mamrie ; elle les repoussa toutes, sans rudesse mais sans hésitation. Elle aurait cru commettre une sorte de sacrilège, si elle eût détourné, au profit d'un autre, une parcelle de l'amour qu'elle avait voué à ses nourrissons, surtout à ce cher petit Démon dont elle était plus fière que Mme Saint-Ybars elle-même. Tout son être pensant et aimant finit par se concentrer exclusivement sur lui ; il devint sa vie, le but de toutes ses préoccupations, l'objectif de toutes ses espérances ; le jour, elle n'avait d'autre bonheur que de le voir, de suivre ses mouvements, de l'entendre parler, de le caresser, de le gâter de mille manières ; dans son sommeil, si elle rêvait, il était toujours pour quelque chose dans ses songes. Elle s'intéressait plus que personne à ses études ; elle conservait précieusement, dans une armoire, ses habits et son linge à mesure qu'ils devenaient trop petits, ainsi que les jouets de sa première enfance et le livre dans lequel il avait appris à lire.

Au contact de Mme Saint-Ybars et de ses filles, l'intelligence de Mamrie avait pris un développement remarquable. Quoiqu'elle se servit du patois créole, en s'adressant à sa marraine et aux enfants, elle parlait très bien le français ; elle savait lire et écrire. Comme elle avait la voix juste et d'un timbre touchant, Mlle Nogolka, à ses heures perdues, lui avait appris à chanter au piano. Elle retenait les airs avec une facilité que les demoiselles Saint-Ybars lui enviaient ; quand elles avaient de la peine à rendre quelque phrase de grand opéra, elle leur donnait la note comme en se jouant.

Chez Saint-Ybars, comme chez tant d'autres possesseurs d'esclaves, on commettait une singulière inconséquence. On lisait, en présence des domestiques, des ouvrages dans lesquels il est souvent question des droits de l'homme ; on laissait traîner çà et là un volume de Voltaire ou de Rousseau, un roman d'Eugène Sue, un poème de Lamartine ou de Victor Hugo, les chansons de Béranger, la *Némésis* de Barthélemy, et tant d'autres œuvres propres à éveiller le sentiment de la liberté chez ces êtres à qui un abus de la force matérielle, transformé en loi, avait ôté l'autonomie de leur personne.

Mamrie savait, aussi bien que personne, à quoi s'en tenir au sujet de l'esclavage ; mais elle se trouvait heureuse chez ses maîtres. Cette vieille famille honnête et respectée des Saint-Ybars, elle la considérait comme sienne ; cette maison où elle était née, elle y était attachée comme l'oiseau à l'arbre où est son nid : pour elle sa marraine était une seconde mère qu'elle aimait autant que sa vraie mère ; enfin là, sur cette habitation dont les limites étaient pour elle celles du monde, vivait et croissait l'enfant qui était tout pour elle. Absorbée dans son amour pour lui, elle ne songeait jamais aux vicissitudes de la vie ; elle ne se demandait jamais, si, par suite d'un de ces bouleversements comme la mort en produit dans les familles, elle n'était pas exposée à passer, au moment où elle s'y attendrait le moins, dans des mains qui lui feraient sentir les chaînes de la servitude. Non, Mamrie ne songeait à rien de semblable ; elle s'abandonnait sans restriction, passionnément, aveuglément, à son amour pour Démon, et elle se fiait naïvement au cours de la vie.

Si Mamrie savait aimer, elle savait haïr aussi. Elle exécrait Mlle Pulchérie et M. Héhé. Elle se taisait sur le compte de la vieille demoiselle, parce que celle-ci tenait par le sang à la famille, et que tout ce qui était Saint-Ybars était sacré pour Mamrie ; mais quant à M. Héhé, à qui elle ne pardonnait pas d'avoir une piètre opinion de l'intelligence de Démon, elle faisait ressortir ses ridicules avec une malice qui amusait beaucoup ses maîtres. Elle disait souvent qu'il y avait plus d'esprit dans le petit doigt de Démon que dans toute la grosse personne de M. Héhé ; et que, de même qu'il n'y a pas d'animal plus bête que l'araignée ôtée de sa toile, il n'y avait pas d'homme plus sot que M. Héhé en dehors de son grec et de son latin.

L'affection de Mamrie pour Démon l'avait graduellement revêtue d'un prestige qui la rendait, en quelque sorte, sacrée aux yeux de tout le personnel de l'habitation ; non seulement on respectait sa personne, mais on n'eût pas plus osé dire un mot inconvenant devant elle qu'en présence des filles de Saint-Ybars. Ses jeunes maîtresses se plaisaient à la vêtir ; elles choisissaient, dans leur garde-robe, ce qui pouvait lui aller le mieux ; elles partageaient leurs rubans avec elle, et on voyait au cou et aux oreilles de la bonne négresse des bijoux qui avaient paré les filles de Saint-Ybars.

Quand Démon commettait quelque faute, on s'en plaignait à Mamrie ; être grondé par elle, était la punition qu'il redoutait le plus. Jamais châtiment corporel n'avait été infligé à Démon ; en le frappant, on eût cru frapper Mamrie. D'ailleurs, un côté de la nature africaine était resté à l'état sauvage chez Mamrie ; on ne l'avait jamais vue qu'une fois en colère, mais on en avait été effrayé : le souvenir de sa fureur était vivant dans tous les esprits, et personne, pas même les parents de Démon, n'eût osé le frapper en présence de sa nourrice.

Quand Démon entra dans la cuisine avec sa cage, Mamrie l'accueillit comme si elle ne l'avait pas vu depuis une semaine. Après s'être rassasiée du plaisir de le caresser, elle lui dit en lui montrant un banc :

« Asteur assite là é conté moin coman to fé pou trapé pap laïé[3]. »

Démon ne se fit pas prier ; il raconta son expédition dans tous ses détails. Il s'exprimait avec une animation qui faisait le bonheur de Mamrie. Accroupie en face de lui, le sourire sur les lèvres, elle suivait, avec une admiration croissante, toutes les phases de son récit. Sa figure, mobile et expressive, reflétait tout ce qui se passait sur celle du petit garçon, comme s'il eût parlé devant un miroir.

Démon termina son épopée, en accompagnant sa parole de grands gestes qui épouvantèrent les oiseaux ; le mâle renouvela ses efforts pour passer à travers les barreaux de sa prison ; sa tête était en sang. Démon le repoussa à l'intérieur, en disant avec impatience :

« Resté don tranquil, bête[4] !

---

[3] Maintenant, assieds-toi là, et raconte-moi comment tu as fait pour attraper ces pinsons-là.

[4] Restez donc tranquille, bête !

— To bon toi, lui dit Mamrie ; to oté li so laliberté é to oulé li contan. Mo sré voudré oua ça to sré di, si yé té mété toi dan ain lacage comme ça[5].

— Mété moin dan ain lacage ! s'écria Démon sur le ton de la fierté indignée ; mo sré cacé tou, mo sré sorti é mo sré vengé moin sur moune laïé ki té emprisonnin moin[6].

— Ah ! ouëtte, tou ça cé bon pou la parol, répliqua Mamrie ; si yé té mété toi dan ain bon lacage avé bon baro en fer, to sré pa cacé arien ; to sré mété toi en san, épi comme to sré oua ça pa servi ain brin, to sré courbé to latéte é to sré resté tranquil comme pap là va fé dan eune ou deu jou[7].

— Non ! repartit Démon, mo sré laissé moin mouri de faim[8].

— Ça cé ain bel réponse, dit Mamrie ; to fier même ! to pa ain Saint-Ybars pou arien[9]. »

Le malheureux pape, brisé de fatigue était affaissé sur ses pattes ; sa poitrine se gonflait douloureusement ; ses yeux noirs étincelaient de colère. Sa femelle, réfugiée dans un coin, faisait entendre de petits cris plaintifs. Après un moment de silence, Démon dit :

« Mamrie, ga comme fumel là triste[10].

---

[5] Tu es bon, toi, lui dit Mamrie ; tu lui as pris sa liberté et tu veux qu'il soit content. Je voudrais voir ce que tu dirais si on te mettait dans une cage comme ça.

[6] Mettre moi dans une cage ! s'écria Démon sur le ton de la fierté indignée ; je casserais tout, je sortirais et je me vengerais sur les gens qui m'avaient emprisonné.

[7] Ah ! oui, tout ça c'est facile à dire, répliqua Mamrie ; si on te mettait dans une bonne cage avec de bons barreaux de fer, tu ne casserais rien ; tu te mettrais en sang, et puis, comme tu verrais que ça ne servait à rien, tu courberais la tête et tu resterais tranquille comme ce pinson-là le fera dans un ou deux jours.

[8] Non ! repartit Démon, je me laisserais mourir de faim.

[9] Ça c'est une belle réponse, dit Mamrie ; tu es la fierté même ! tu n'es pas un Saint-Ybars pour rien !

[10] Mamrie, regarde comme la femelle est triste.

— Cé pa étonnan, répondit la bonne négresse, lapé pensé à so piti ! yé faim, yapé pélé yé moman ; mé moman va pli vini ; cé lachouette ou kèke serpen ka vini é ka mangé yé[11]. »

Démon devint pensif. Tandis que sa nourrice voyait à une chose ou à une autre, il contemplait ses prisonniers. Il se leva, et sortit sans rien dire. Au bout de quelques minutes, Mamrie le vit rentrer ; son trébuchet était vide.

« Eben ! dit-elle d'un air étonné, coté to zozos[12] ? »

Une fausse honte empêcha Démon de dire ce qui en était ; il répondit d'une voix mal assurée :

« Yé chapé[13].

— Yé chapé ? reprit Mamrie en secouant la tête, to menti ! mo parié to rende yé la liberté[14].

— Eben ! cé vrai, avoua Démon, cé vou faute ; ça vou di moin su fumel là é so piti té fé moin la peine[15]. »

Les yeux de Mamrie se remplirent de larmes ; elle tendit les bras à Démon, en lui montrant toutes ses dents et en disant :

« Vini icite, céléra ! vini mo mangé toi tou cru[16]. »

Elle le dévora de caresses, et se tournant vers la cuisinière et quelques femmes de service :

---

[11] Ce n'est pas étonnant, répondit la bonne négresse, elle pense à ses petits ! Ils ont faim, ils appellent leur maman ; mais leur maman ne va plus venir ; c'est une chouette ou quelque serpent qui viendra et qui les mangera.

[12] Eh bien ! dit-elle d'un air étonné, où sont tes oiseaux ?

[13] Ils se sont échappés.

[14] Ils se sont échappés ? reprit Mamrie en secouant la tête, tu mens ! je parie que tu leur as rendu leur liberté.

[15] Eh bien, c'est vrai, avoua Démon, c'est votre faute ; ce que tu m'as dit sur la femelle et ses petits m'a fait de la peine.

[16] Viens ici, scélérat ! viens que je te mange tout cru.

« Ça cé mo tresor, dit-elle, ça cé kichoge ki vo plice pacé tou dilor dan moune[17].

— Vou rézon, Mamrie, remarqua la cuisinière, can michié Démon va gran, la fé ain bon maite pou nouzotte[18].

— Cé bon tou ça, dit Mamrie à Démon, mé to faim, vini mangé[19]. »

Elle le fit dîner. Il mangea peu ; son sacrifice lui avait coûté un certain effort, et il avait le cœur encore un peu gros. Après qu'il eut fini, Mamrie le fit monter dans sa chambre ; elle l'aida à faire sa toilette, et quand elle eut donné le dernier coup de peigne à ses cheveux, elle dit en l'admirant :

« Asteur to propre é bel comme ain rayon soleil ; couri en bas coté to nouvo maite d'école[20]. »

Le dessert touchait à sa fin, quand Démon entra dans la salle à manger. Saint-Ybars ne voulant pas le gronder, au début de ses rapports avec son nouveau précepteur, donna l'ordre à un domestique de lui servir son dîner.

« Ce n'est pas la peine, dit Démon, Mamrie m'a fait manger. »

On lui offrit du dessert ; il refusa, et alla s'asseoir à côté de Pélasge, ce qui étonna toutes les personnes présentes ; car, comme l'avait fait observer Chant-d'Oisel, son habitude n'était pas de rester à table quand sa faim était satisfaite. Mlle Pulchérie en fut piquée ; M. Héhé rougit.

Dans le silence et le repos, la figure de Démon prit une expression de mélancolie pensive qui attira l'attention de Pélasge : il se demanda si c'était un simple effet de tempérament, ou l'indice d'un

---

[17] Ça c'est mon trésor, dit-elle, ça c'est quelque chose qui vaut plus que tout l'or du monde.

[18] Vous avez raison, Mamrie, remarqua la cuisinière, quand monsieur Démon sera grand, il fera un bon maître pour nous autres.

[19] C'est bon tout ça, dit Mamrie à Démon, mais tu as faim, viens manger.

[20] Maintenant tu es propre et beau comme un rayon de soleil, va en bas où se trouve ton nouveau maître d'école.

état douloureux de l'âme. Il savait, par expérience, que l'on peut déjà à treize ans nourrir un chagrin sérieux. Il devait découvrir, après quelques semaines de séjour sur l'habitation, la cause qui répandait cette teinte de tristesse sur les traits de son élève. Il vaut mieux qu'on la connaisse dès à présent ; nous la dirons en quelques mots.

Saint-Ybars avait cessé d'aimer sa femme ; elle s'en était aperçue depuis longtemps. Elle ne lui en avait jamais fait de reproches ; elle ne s'en était plainte à personne. Comme tout chez Saint-Ybars tournait en passion, son indifférence conjugale n'avait pas tardé à se transformer en antipathie ; puis, l'antipathie s'était changée en une aversion que trahissaient des paroles acerbes, ou des railleries qui rendaient Mme Saint-Ybars ridicule et diminuaient le respect des domestiques pour elle. Quelquefois, sous le prétexte le plus futile, la colère de Saint-Ybars contre la malheureuse femme éclatait avec la soudaineté et le fracas de la foudre. Alors, tout tremblait autour de lui ; personne n'eût osé lui faire la moindre observation. Vieumaite lui-même s'abstenait d'intervenir ; considérant l'irascibilité de son fils comme un mal irrémédiable, il en avait pris son parti ; dès qu'il soupçonnait l'approche d'un orage, il s'éloignait et allait retrouver la paix parmi ses livres.

De tous les enfants de Mme Saint-Ybars, Démon était celui qui aimait le plus sa mère, quoique peut-être il aimât davantage Mamrie. La conduite de Saint-Ybars envers sa femme était pour l'enfant une source de douleurs cachées et de réflexions au-dessus de son âge. Quand il voyait un esclave, enhardi par l'exemple du maître, manquer de respect à sa mère, il lui prenait envie de le poignarder. Mais il avait honte pour son père ; il feignait de ne pas voir ses mauvais traitements ; il dévorait sa peine solitairement, il la taisait même à Mamrie. Pélasge seul devait deviner le secret qui entravait, dans cette jeune âme, le développement des facultés heureuses et riantes.

N'anticipons pas davantage sur l'avenir ; revenons à ce repas à la fin duquel Pélasge remarquait, non sans quelque surprise, l'expression mélancolique de son élève.

VII
Man Sophie et ses deux petites filles

On se leva de table pour prendre le café sur la galerie du premier étage, où passait une fraîche brise venant du fleuve, et pour fumer d'excellents cigares de la Havane.

Pélasge n'aimait pas à rester en repos après ses repas ; il proposa à Démon de faire ensemble une promenade.

Après avoir visité le jardin, dont l'étendue et la beauté rappelèrent au jeune professeur les villas princières de l'Italie, ils se dirigèrent vers la savane. Les dernières lueurs du soleil couchant empourpraient la campagne ; les cannes à sucre déjà parvenues à la hauteur du genou, frissonnaient au souffle croissant de la brise et répercutaient, dans tous les sens, les lueurs mourantes du jour. Les nègres revenaient du travail, les uns à pied et par groupes, les autres dans des chariots attelés de quatre mulets. Ils étaient contents ; la semaine finissait, et ils jouissaient en imagination de leurs plaisirs du dimanche. Les chants des femmes, les éclats de rire des hommes, arrivèrent adoucis par la distance jusqu'aux oreilles de Pélasge et de Démon. Ils venaient d'entrer dans un sentier qui traversait un champ de cannes, lorsqu'une forme humaine s'estompa sur le fond rouge de l'horizon ; comme elle grandissait et se dessinait plus nettement à mesure qu'elle avançait et que les deux promeneurs allaient à sa rencontre, Pélasge reconnut bientôt que c'était une négresse qui portait de chaque côté, entre son bras ployé et sa poitrine, quelque chose ressemblant à un petit enfant. Quand lui et Démon ne furent plus qu'à une vingtaine de pas de la négresse, elle s'arrêta ; sa figure exprimait l'inquiétude. Pélasge put distinguer alors les objets qu'elle portait dans ses bras ; c'étaient deux grosses poupées.

« C'est man Sophie, dit Démon ; elle est folle, Monsieur, mais pas méchante. Elle croit que ces poupées sont ses filles ; elle a donné un nom à chacune. »

S'adressant à la négresse et élevant la voix :

« Man Sophie, dit-il, pa peur ; michié là pa lé fé vou di mal[1]. »

La négresse s'approcha avec confiance.

« Faites-la parler un peu, dit Pélasge, pour me donner le temps de la bien voir.

— Oui, Monsieur, répondit Démon, et regardant la folle : Man Sophie, demanda-t-il, vou piti filles bien[2] ?

— Merci bon dgié, michié Démon, répondit la négresse, jordi yé bien ; mé lote lanouitte yé té empéché moin droumi ; Emma té toucé tou plin, é Caroline té gagnin colic ki té fé li soufri martir[3].

— Coté vapé couri comme ça, Man Sophie[4] ?

— Mapé couri coté vieu madame é coté vou seurs ; mo besoin zétoffe neuve pou abillé mo piti filles. Fo oucitte mo maitresses donne moin ruban, cofair mo oulé fé Emma é Caroline bel tou plin dimin, sitan bel tou moune a admiré yé. Dimin, vou connin, cé ain gran jou, cé jou niversaire vou nessance é kenne mamzel Chant-d'Oisel ; fo mo fé vou honair, à vou é à vou jumel[5].

— Anon, bon voyage, man Sophie, bonne santé pou vou é vou piti[6].

---

[1] Man Sophie, dit-il, n'aie pas peur, ce monsieur ne va pas vous faire de mal.

[2] Vos petites filles vont bien ?

[3] Merci, bon Dieu, monsieur Démon, aujourd'hui elles se portent bien ; mais hier soir elles m'ont empêché de dormir ; Emma a beaucoup toussé, et Caroline avait des coliques qui l'a fait souffrir le martyre.

[4] Où allez-vous comme ça, Man Sophie ?

[5] Je vais voir la vieille madame et vos sœurs ; j'ai besoin d'étoffe neuve pour habiller mes petites filles. Il faut aussi que mes maîtresses me donnent du ruban, avec lequel je veux rendre Emma et Caroline toutes belles pour demain, si belles que tout le monde les admirera. Demain, vous savez, c'est un grand jour ; c'est le jour de l'anniversaire de votre naissance, ainsi que celle de Chant-d'Oisel ; il me faut vous faire honneur, à vous et à votre jumelle.

[6] Allons, bon voyage, Man Sophie, bonne santé à vous et à vos petites.

— Merci, michié Démon ; bon dgié béni vou[7]. »

La folle s'en alla en dodinant ses poupées, et en chantant la vieille romance de Saint-Domingue :

Lisett' to kité la plaine,
Mo perdi bonhair à moué ;
Ziés à moué semblé fontaine,
Dépi mo pa miré toué.
Jour là can mo coupé canne.
Mo chongé zamour à moué ;
Lanouitt' can mo dan cabane,
Dan droumi mo tchombo toué[8].

Démon mit en français son dialogue avec Sophie, ainsi que le couplet chanté par elle. Il y eut un silence ; Pélasge se parlait intérieurement.

« Cette femme, se disait-il, vit tout éveillée d'un rêve ; dans ce rêve tantôt elle est heureuse, tantôt elle souffre. Et nous tous, qui possédons notre raison, ne vivons-nous pas aussi d'un rêve ? Quand l'homme, arrivé au terme de sa carrière, se retourne et regarde dans son passé, que sont devenus ses désirs, ses amours, ses espérances, ses désespoirs, ses ambitions, ses haines ? tout s'est évanoui comme les images fugitives qui traversent le sommeil. Oh ! oui vraiment, la vie est un rêve ; ne lui donnons pas plus d'importance qu'elle n'en mérite. »

---

[7] Merci, monsieur Démon ; que le bon Dieu vous bénisse.

[8] Lisette, quand tu as quitté la plaine
J'ai perdu mon bonheur à moi
Mes yeux ressemblent à une fontaine
Depuis que je ne te vois pas
Le jour quand je coupe la canne
Je songe à mon amour
La nuit quand je suis dans ma cabane
Dans mon sommeil je t'embrasse toujours.

VIII
Le Camp

Il faisait nuit quand Pélasge et son jeune guide arrivèrent au camp. C'était une de ces belles nuits transparentes et douces, où le ciel de la Louisiane rivalise de splendeur avec celui de l'Égypte ou de l'Arabie. La voûte étoilée s'ouvrait comme un immense livre écrit en lettres d'argent, de pourpre, de topaze et de saphir. Pélasge, comme en se jouant, donna à son élève une idée des divisions du ciel et de ses mouvements ; il lui apprit à reconnaître plusieurs grandes constellations.

Les nègres avaient allumé des feux devant leurs cabanes, les uns pour cuire leur souper, les autres pour chasser les moustiques. Pélasge et Démon suivirent cette longue file de flammes ondoyantes et crépitantes. Les négrillons en chemise s'amusaient à sauter par-dessus ces feux. Partout on saluait respectueusement les deux visiteurs. Démon, fier de son nouvel instituteur, le présentait aux esclaves en appelant chaque chef de famille par son nom ; plus d'un parmi eux sut tourner avec esprit un compliment à l'adresse du maître et de l'élève.

Arrivés à l'extrémité du camp, les deux compagnons aperçurent un petit feu éloigné des autres ; ils entendirent les sons d'un instrument de musique que Pélasge ne connaissait pas.

« C'est le vieil Ima, dit Démon, qui joue du banza devant sa cabane.

— Qui nommez-vous ainsi ? demanda Pélasge.

— C'est un vieux nègre d'Afrique, répondit Démon, le premier esclave que mon grand-père ait acheté. Il ne travaille plus depuis longtemps ; il a sa ration comme les autres, et une cabane pour lui seul. Le jour, il fait de gros balais en latanier, comme vous en avez peut-être vu au marché à la Nouvelle-Orléans ; il les vend aux bateaux à vapeur qui descendent le fleuve ; l'argent est pour lui. Il a son jardin et sa basse-cour ; il engraisse un cochon. Il récolte son tabac. Le soir, il fait de la musique, il chante en contemplant le ciel ; il passe à cela presque toute la nuit. Il connaît si bien les étoiles, que rien qu'en les regardant il peut vous dire l'heure qu'il est.

— Qu'est-ce que le banza ?

— C'est une espèce de guitare à quatre cordes. Pa Ima fait le sien lui-même. Pour cela il prend une grosse calebasse dont il enlève une calotte ; il tend dessus une peau de serpent, c'est sa table d'harmonie. Il fait son manche avec du cypre, parce que c'est un bois très droit et qui ne travaille pas sensiblement. Il fabrique ses cordes avec des crins de cheval. Il a l'oreille très juste ; il retient tous les airs qu'il entend. Il vient de temps en temps à la maison ; Mlle Nogolka et Chant-d'Oisel touchent du piano et chantent pour lui. Debout, appuyé sur son grand bâton, il écoute ; on voit qu'il est heureux. Rentré dans sa cabane, il répète sur son banza ce qu'il a entendu ; il mêle tout cela, dans sa tête, avec des motifs et des variations de sa façon. Quand il joue, il va, il va ! il est comme un homme en rêve qui ne se lasse pas d'écouter un concert. »

Pélasge, surpris et charmé du parler de Démon, lui dit en le frappant amicalement à l'épaule :

« Mon petit ami, ce que vous savez vous le savez bien, et vous l'expliquez parfaitement. Je suis sûr que vous ferez des progrès avec moi. »

Ils approchèrent. Le vieux nègre, les yeux levés vers les astres, tandis que ses doigts souples encore malgré son grand âge voltigeaient sur les cordes de son banza, était plongé dans les béatitudes de son extase musicale.

« Il ne nous voit pas, dit Pélasge, ne le dérangeons pas. Une autre fois, à la lumière du jour, nous reviendrons : nous le ferons parler, vous me servirez d'interprète. »

Ils reprirent, tout en causant, le chemin de la maison. En repassant dans le camp, Pélasge remarqua plusieurs nègres qui nettoyaient des fusils et des pistolets. Comme il paraissait surpris de voir des armes à feu aux mains des esclaves, Démon lui expliqua qu'ils les avaient empruntées à leurs maîtres.

« Au petit jour, ajouta-t-il, ils commenceront à tirer pour fêter notre anniversaire à Chant-d'Oisel et à moi. Vous serez réveillé par un beau vacarme, allez. »

La journée avait été bien remplie par Pélasge ; il avait beaucoup vu, beaucoup entendu et beaucoup appris en quelques heures. Retiré dans sa chambre et se trouvant seul, il médita à son aise sur les personnes et les choses qui avaient le plus particulièrement fixé son attention.

« Bref, dit-il en se disposant au sommeil, me voici entré dans un nouveau sillon. Pour combien de temps suis-je ici ? six ans ? dix ? quinze ? Sotte et vaine question ! l'avenir garde ses secrets, et c'est folie que de vouloir mettre le temps en coupe réglée. La vie est semblable à un voyage d'exploration, où chaque étape commencée est un pas vers l'inconnu. Allons, doux sommeil, mon meilleur ami, viens : plonge-moi dans l'oubli de toute crainte et de toute espérance. La crainte ? l'espérance ? ombres capricieuses, l'une est aussi peu sûre que l'autre, et l'on peut appliquer à l'une ou à l'autre le mot de François Ier sur la femme : "Bien fol est qui s'y fie." »

Il s'endormit profondément sur cette dernière pensée.

IX
Man Miramis – M. Salvador

La nuit s'écoula paisiblement. Son silence ne fut interrompu que deux ou trois fois par le ronflement de bateaux à vapeur montant ou descendant le fleuve. Pélasge déjà habitué au bruit de ces puissantes machines, dormit tout d'une traite. Lorsqu'il rouvrit les yeux, les coups de fusil et de pistolet dont Démon lui avait parlé, retentissaient comme si l'habitation eût été envahie par des assiégeants. Mais il en fut moins occupé que d'une voix humaine, rauque et grondante, qui venait de la cour ; elle donnait des ordres sur le ton de la colère et de la menace : chaque fois qu'elle tonnait, un bruit de balais mis en mouvement croissait avec rapidité.

Quand Pélasge sortit de sa chambre, son élève l'attendait sur la galerie.

« Venez, dit Démon, Mamrie nous donnera une tasse de café à l'eau, et nous irons, si vous voulez, faire une visite au cabanage des Indiens, en attendant le déjeuner.

— De grand cœur, répondit Pélasge ; mais dites-moi d'abord qui est cette vieille négresse qui parle si fort.

— C'est man Sémiramis, répondit Démon ; c'est elle qui dresse les jeunes esclaves. Elle ne plaisante pas, je vous le garantis ! les négresses en ont peur comme du diable ; elle leur fait commencer la journée en balayant la cour et les galeries d'en bas. Les domestiques, grands ou petits, lui obéissent à la seconde comme des soldats à leur capitaine. Pour abréger on l'appelle man Miramis. Elle est presque aussi vieille que mon grand-père. Quand mon père est absent, c'est elle qui fait marcher la maison. Elle ne sait ni lire ni écrire ; pour compter elle se sert de graines de maïs qu'elle porte toujours sur elle, dans un petit sac ; elle les étale sur une table, et après avoir ajouté ou retranché, selon l'occasion, elle dit au domestique à qui elle a confié de l'argent, pour faire des achats : "Tu dois me rendre *tant.*" Il faudrait être bien malin pour la tromper d'un picaillon. Elle est libre depuis sa jeunesse ; mais elle n'a jamais pensé à quitter notre famille. Elle a gardé tous les enfants de mon grand-père et tous ceux de mon père, excepté Chant-d'Oisel et moi.

— Si je vous comprends bien, observa Pélasge, cette Sémiramis est un personnage d'importance.

— Elle a beaucoup de tête, reprit Démon ; elle donne de bons conseils dans les circonstances difficiles. Elle est criarde, comme vous voyez ; c'est égal, tout le monde ici a un grand respect pour elle. Il n'y a que mon grand-père qui se permette de la plaisanter. Il lui disait un jour : "Miramis, tu es née pour le commandement ; mais tu as manqué ta destinée ; tu aurais dû naître à Saint-Domingue : Toussaint Louverture t'aurait prise pour sa femme." Elle lui répondit : "Vous badinez ; mais si j'avais été sa femme, je vous réponds, moi, que les blancs ne l'auraient jamais fait prisonnier." »

Les paroles de Vieumaite dites sur le ton de la plaisanterie et citées sur le même ton par son petit-fils, avaient pourtant un fonds de vérité. Miramis était née pour le commandement, si tant est qu'il y ait des gens qui naissent pour commander à d'autres ; elle avait tous les instincts dans lesquels le pouvoir absolu prend son origine. Elle divisait l'humanité en deux parties, l'une constituant un troupeau voué par la nature à l'obéissance et à la servitude ; l'autre formant un petit groupe doué d'un esprit supérieur et créé tout exprès pour conduire le troupeau. C'était, comme on voit, la même doctrine que celle de M. Héhé ; seulement Miramis ne partageait pas la haute opinion que M. Héhé avait de lui-même ; il s'attribuait une place parmi les maîtres du troupeau, elle le classait dans le troupeau.

Démon dit à Pélasge qu'en traversant la cour, il ne fallait pas manquer de souhaiter le bonjour à man Miramis. Quand on approchait d'elle, la première chose que l'on voyait c'étaient ses larges fosses nasales ; elle tenait sa tête d'un air superbe, la face tournée vers le ciel, comme si elle eût appartenu à une race habitant l'empyrée. Elle était coiffée d'un madras rouge et jaune qu'elle portait comme une couronne ; en guise de sceptre elle brandissait une *baleine*, cette terrible houssine en peau de bœuf tordue, peinte et vernissée, vendue en baril par les philanthropes du Nord aux détaillants du Sud.

S'il faut en croire la renommée, Miramis n'avait pas été mal dans son jeune temps, malgré ses larges narines. Maintenant, avec sa maigreur et ses rides, elle pouvait passer pour la reine des sorcières. En dépit de son âge avancé, elle était d'une vivacité étourdissante ; ses yeux étaient ouverts et brillants comme ceux de la chouette. Elle répondit poliment, mais laconiquement, au bonjour de Pélasge. Elle le toisa de haut en bas, et, comme sûre du jugement qu'elle en portait à première vue, elle balança approbativement la tête, et dit à Démon :

« À la bonne heure ! voilà le maître d'école qu'il te fallait, et non pas ce gros empêtré de Héhé. Avec ce Monsieur si tu n'avances pas dans tes études, tu n'as pas d'excuse. »

Et se tournant vers Pélasge, elle ajouta :

« Soignez-moi bien cet enfant, Monsieur ; vous en ferez quelque chose de distingué : il n'y a jamais eu personne de bête dans la famille des Saint-Ybars. »

Elle fit brusquement demi-tour à droite, et apostrophant deux négrillonnes qui regardaient Pélasge à la dérobée :

« Hé là-bas ! vociféra-t-elle, ça vapé gardé comme ça ? cé vou louvrage ki fo gardé, ou sinon baleine cila a di kichoge à vou do, oui[1] ! »

Miramis n'avait jamais eu qu'un enfant. Elle était déjà libre, quand son fils vint au monde. Comme elle aimait les noms ronflants, elle lui avait donné celui de Salvador. C'était un fort bel homme ce Salvador. Il était un peu plus âgé que Saint-Ybars. Quoique son teint fût celui des mulâtres, il avait les traits de la race blanche ; et, par un de ces effets curieux qui résultent parfois du mélange des divers sangs, il avait les cheveux et la barbe lisses. Qui était son père ? Miramis ne l'avait jamais dit à personne ; mais on avait toujours

[1] Hé là-bas ! vociféra-t-elle, qu'est-ce que vous regardez comme ça ? C'est votre travail qu'il faut regarder, ou sinon mon fouet dira quelque chose à votre dos, oui !

remarqué, en se parlant à l'oreille, qu'il ressemblait beaucoup au vieux Saint-Ybars vu du *côté du soleil.* Ce qu'il y a de certain, c'est que Vieumaite l'avait beaucoup gâté dans son enfance, et qu'il avait pris un soin particulier de son éducation. Salvador était le maître-charpentier de l'habitation ; en lui parlant on disait *Monsieur.* C'était un excellant homme, pacifique et complaisant. Doué d'une force herculéenne, il était porté par son bon naturel à protéger les faibles. On l'avait vu plus d'une fois se mettre entre sa mère et l'esclave qu'elle voulait châtier. Il aimait les enfants ; il consacrait ses heures perdues à leur fabriquer des jouets. Personne ne traitait les animaux avec plus de douceur que lui.

Quoique Salvador pensât bien différemment de sa mère sur les rapports entre maîtres et esclaves, il avait pour elle un grand amour et le plus profond respect.

Il y avait entre Saint-Ybars et Salvador deux manières d'être : devant le monde, chacun se tenait à la place que lui assignaient les convenances sociales ; dans l'intimité, ils se parlaient avec une familiarité affectueuse. Salvador savait, lui, qui était son père ; Saint-Ybars le savait aussi ; mais discrets, l'un autant que l'autre, ils s'aimaient comme des frères sans s'être jamais dit qu'ils le fussent. Salvador avait pour Saint-Ybars une de ces affections qui ne reculent devant aucun sacrifice. Il avait toujours été le confident de ses chagrins. Il appréciait, mieux que personne, ce qu'il y avait de bon au fond de cette nature impérieuse et emportée. Sage et toujours maître de lui-même, il plaignait sincèrement Saint-Ybars quand il le voyait en proie à quelque passion qui le rendait malheureux ; il en gémissait, et faisait tout ce qui dépendait de lui pour rétablir le calme dans cette âme orageuse.

Miramis tenait à la famille Saint-Ybars plutôt par orgueil que par affection, à peu près comme une duchesse tient à ses titres ; la passion du commandement avait étouffé chez elle les facultés affectives ; elle n'aimait qu'un être au monde, c'était Salvador : mais il faut lui rendre justice, elle avait pour lui l'affection qu'on rencontre chez les mères les plus dévouées.

X
Les Indiens – Le Vieux Sachem

Revenons à Pélasge et à son élève. Après avoir pris l'excellent café que Mamrie leur avait préparé, ils se mirent en route pour se rendre au camp des Indiens. La veille, après le dîner, Pélasge regardant le couchant du haut de la galerie, avait remarqué une masse de verdure sombre, qui de loin tranchait sur l'immense nappe des cannes à sucre, semblable à une île au milieu d'un lac. Démon lui avait expliqué ce qu'était ce massif, et il avait été convenu qu'ils iraient le voir.

La terre que l'aïeul paternel de Saint-Ybars, émigré du Canada en Louisiane, avait achetée en 1749, n'était alors qu'un désert dont le centre était occupé par un bosquet de chênes séculaires. Les restes d'une tribu indigène étaient réunis sous les rameaux de ces arbres vénérables. Le nouveau venu était un homme au cœur généreux ; il respecta les Indiens. Ceux-ci, voyant en lui un ami sur lequel ils pouvaient compter, ne s'éloignèrent pas. Le fils aîné du blanc étant devenu maître de l'habitation, à la mort de son père, imita la conduite de celui-ci envers les peaux-rouges ; Saint-Ybars, à son tour, traita hospitalièrement les descendants de la tribu. Mais à mesure que la race blanche et la race noire s'étaient multipliées autour des chênes, le nombre des indigènes avait diminué ; la tribu qui à l'arrivée des blancs comptait quatre-vingts guerriers, était réduite, à l'époque où commence notre récit, à quinze individus dont un seul avait atteint les limites de la vieillesse.

Lorsque l'aïeul de Saint-Ybars était venu parler au chef ou *sachem* des sauvages, pour lui déclarer ses intentions bienveillantes, il avait été reçu à l'ombre du chêne qui était au milieu du bosquet. Cet arbre, en ce temps-là, était déjà gigantesque ; il ressemblait, dans sa majesté, à un patriarche entouré de ses fils et petits-fils. De temps immémorial il avait servi aux rendez-vous des différentes nations sauvages, lorsqu'elles se réunissaient pour traiter une question de paix ou de guerre. Il était connu sous le nom de *sachem de la plaine*. Les blancs établis en Louisiane s'habituèrent à l'appeler simplement le *sachem*, et dès le commencement de notre siècle, quand on prononçait ce nom, sur l'habitation Saint-Ybars, il était bien entendu qu'on parlait, non point d'un chef de sauvages, mais de l'antique géant végétal.

Au moment où Démon et Pélasge approchèrent, les hommes de la tribu assis en rond à la lisière du bosquet, prenaient leur repas du matin ; il se composait simplement d'un gombo. Chacun, à son tour, plongeait une cuiller en bois dans la chaudière qui contenait le substantiel potage, la portait à sa bouche, puis la passait à son voisin.

Les femmes, assises à l'écart, attendaient que les hommes eussent fini. Il y avait parmi elles une métisse. Elle avait le teint d'une blancheur légèrement verdâtre, les pommettes saillantes, la mâchoire fortement accusée ; ses yeux et ses cheveux rappelaient, par leur nuance claire, la race européenne. Dévorée par la fièvre, elle toussait presque sans répit ; il était facile de voir qu'elle n'avait pas longtemps à vivre.

Les Indiens virent venir Démon et son compagnon. Ils ne proférèrent pas un mot. Pélasge remarqua la mine ennuyée et hébétée des hommes, l'air doux et triste des femmes. En pensant qu'il avait là, sous ses yeux, les derniers survivants des possesseurs naturels de la contrée, il fut pénétré de commisération. Il n'eut pas le moindre doute sur leur prochaine extinction ; sur les quinze individus dont se composait la tribu il n'y avait qu'un enfant.

« Comment pourvoient-ils à leur subsistance ? demanda-t-il à Démon.

— Les femmes, répondit Démon, vont vendre sur les habitations de la poudre de sassafras pour faire le gombo, des feuilles de plantain pour aromatiser le linge, des racines de latanier pour fourbir, et de petits paniers qu'elles tressent elles-mêmes. Elles ont toute la peine ; les hommes ne font rien, le whiskey les tue.

— Quelles sont ces buttes de terre là-bas, sous ce chêne à moitié mort ? demanda le jeune professeur.

— C'est le cimetière de ces Indiens », répondit l'élève.

Pélasge compta les sépultures ; il y en avait vingt-cinq.

« Plus de morts que de vivants », murmura-t-il.

Pélasge s'était arrêté ; il pensait aux races humaines disparues les unes après les autres, et dont on a découvert les ossements dans les différentes couches du sol. Il en dit quelques mots à son élève : Démon l'écouta avec la plus grande avidité.

« Continuons notre promenade, voulez-vous ? demanda Pélasge.

— Oui, Monsieur, allons voir le sachem. »

Vieumaite avait fait abattre, autour du patriarche des chênes, tous ceux qui le gênaient en empêchant l'air de circuler librement entre ses branches. Il avait tracé lui-même, avec une charrue tirée par ses quatre chevaux les plus beaux, un sillon circonscrivant au large l'arbre majestueux qui désormais prenait un caractère sacré ; car, un tombeau construit dans son ombre tranquille, venait de recevoir les restes mortels des parents de Vieumaite. Une rangée de beaux cyprès originaires de la Provence, avait été plantée dans le creux circulaire. Ils avaient crû avec vigueur, et n'avaient pas tardé à opposer aux animaux une barrière infranchissable. Une porte en chêne presque noir, permettait de pénétrer dans l'enceinte du côté du couchant. Un vieux nègre hors de service était préposé à la garde de ce lieu saint ; à lui était confiée la clef de la porte ; une fois par semaine, il enlevait les ramilles sèches et les feuilles mortes qui tombaient du sachem. Il habitait une petite cabane, qu'on voyait dans la clairière et qu'ombrageaient des bananiers et des orangers.

Les racines supérieures du sachem, saillantes et tortueuses, serpentaient au loin sur le sol, semblables à d'énormes tentacules. Le tronc montait comme une tour ; à une hauteur de trente-cinq mètres, il émettait d'abord cinq branches horizontales, dont chacune était plus grosse que le tronc d'un chêne ordinaire. Ces branches en s'éloignant de la tige, fléchissaient insensiblement sous leur propre poids et allaient au loin balayer le sol de leurs dernières ramifications. Les autres branches s'élevaient plus ou moins obliquement, subdivisées en rameaux et ramuscules dont l'ensemble, vu extérieurement, avait l'apparence d'un dôme colossal.

Le vieux gardien du sachem s'entendant appeler et reconnaissant la voix de son petit maître, sortit de sa cabane et vint ouvrir.

Il fallut écarter le feuillage, pour pénétrer sous la voûte du vieux sachem. La lumière affaiblie qui éclairait la vaste rotonde, était pâle et douce comme celle de la lune quand son disque est voilé par les brouillards de l'automne. L'air au dehors étant tranquille, pas une feuille n'oscillait, pas le plus léger bruissement ne frissonnait dans les rameaux. Des touffes de barbe espagnole pendaient çà et là comme de longs voiles funéraires ; leur immobilité morne augmentait la mélancolie de cette solitude, et donnait plus d'intensité au silence.

Une austère et solennelle tristesse envahit subitement Pélasge. Lui, dont l'esprit ferme repoussait ordinairement toute émotion superstitieuse, il lui sembla voir dans l'avenir, entre lui et ce lieu solitaire, une connexion d'événements malheureux, et il en éprouva, par anticipation, un invincible serrement de cœur. Il avança lentement, posant doucement les pieds sur le sol, comme s'il eût craint d'interrompre le silence qui régnait autour de lui. Le tombeau de marbre blanc, dans lequel reposaient le père et la mère de Vieumaite, s'élevait dans l'ombre des rameaux étendus vers l'orient ; la façade était du côté d'où venait Pélasge. Il se découvrit respectueusement, et s'arrêta à quelques pas du tombeau. Son noir pressentiment ne le préoccupait plus ; sa sérénité habituelle revenue, il promena ses regards sur toute l'enceinte, et dit à demi-voix :

« Quel calme ! on se croirait transporté au-delà des limites du monde, dans un lieu où le mouvement et le bruit n'existent plus.

— Est-ce que vous n'aimez pas cette tranquillité ? demanda Démon.

— Elle me plaît beaucoup, répondit Pélasge.

— Je vous demande cela, reprit Démon, parce qu'il y a des personnes qui ne l'aiment pas. Mon père et mes frères ne se soucient pas de venir ici, surtout mon père ; il dit que cette immobilité et ce silence ressemblent trop au néant. Eh bien ! moi, Monsieur, j'aime à venir ici ; je ne demanderais qu'une chose à ceux qui doivent vivre plus longtemps que moi, c'est, quand j'aurai cessé de vivre, de déposer mon corps dans la terre ombragée par le vieux sachem. »

Ces paroles sorties de la bouche d'un jeune garçon, qui, ce jour-là même, accomplissait sa treizième année, parurent extraordinaires à Pélasge. Après un moment de réflexion :

« Ce que vous venez de me dire, demanda-t-il, l'auriez-vous dit aussi bien à M. Héhé ?

— Oh ! jamais, répliqua vivement l'enfant, ni à lui, ni à personne.

— Vous avez donc confiance en moi, mon petit ami ?

— Oui, Monsieur, tout à fait.

— Vous avez raison, dit Pélasge en posant affectueusement ses mains sur les épaules de Démon, je sens que j'aurai une grande amitié pour vous. »

Les sons lointains d'une cloche arrivèrent en mourant, jusque sous le sachem.

« Il est temps de rentrer, dit Démon ; entendez-vous le premier coup de cloche pour le déjeuner ?

— Oui, partons. »

Ils repassèrent devant le camp des Indiens. Les femmes étaient dans leurs cabanes faites de branches et de feuillage ; elles cousaient ; les hommes ivres de whiskey et de tabac, étaient étendus dans l'herbe, le visage exposé au soleil et couvert de mouches.

XI
M. le Duc de Lauzun

Au déjeuner Pélasge fit connaissance avec une nouvelle figure. Un jeune quarteron, mis avec recherche et coiffé comme M. Héhé, servait Saint-Ybars et ne servait que lui. Il avait l'air dégagé et impertinent ; on eût dit qu'il servait le maître de la maison par pure complaisance. Dès son bas âge il s'était montré d'un caractère si effronté que Vieumaite l'avait surnommé M. le duc de Lauzun. Ce nom lui resta, et il en était fier ; de ce qu'il portait le nom du célèbre courtisan, il se croyait aussi important que lui. Dans son enfance Saint-Ybars l'avait gâté à l'égal de ses propres fils, et maintenant encore il avait pour lui un faible que Mlle Pulchérie qualifiait de déplorable. Tout esclave qu'était M. le duc de Lauzun, il avait sa chambre à part, sa petite bibliothèque, son fusil, et qui le croirait ? son esclave, ou du moins son domestique. Un jeune nègre, nommé Windsor, qui, sous un air de gros bêta, cachait un esprit de courtisan, s'était constitué le valet de M. le duc de Lauzun ; il le suivait pas à pas, et profitait par contrecoup des faveurs dont M. le duc était comblé par le maître de la maison.

Les privilèges dont jouissait M. de Lauzun venaient de ce que (nous nous servons de la locution usitée en pareil cas), il était *pour* le fils aîné de Saint-Ybars ; ce qui veut dire en français de France, que cet insolent petit polisson était l'enfant d'une esclave et du fils aîné de la famille.

La première impression produite par M. de Lauzun sur le nouveau professeur de Démon, ne fut pas flatteuse pour son Excellence ; Pélasge lui trouva le regard faux et méchant.

Deuxième partie

XII
Simple changement de méthode

Seize mois se sont écoulés, depuis que le jeune professeur, Antony Pélasge, est établi sur l'habitation Saint-Ybars. Démon a fait des progrès surprenants ; le désir d'apprendre est devenu chez lui une passion : il ne pense plus qu'à ses livres ; partout où il se trouve, il repasse dans sa tête ce qu'il a appris, de crainte de l'oublier. On est obligé de lui faire presque violence, pour modérer cette tension d'esprit, qui, trop prolongée, pourrait nuire à sa santé.

Excepté Vieumaite, Chant-d'Oisel et Mamrie, tous les gens de l'habitation sont étonnés du changement qui s'est opéré chez Démon. Quant à M. Héhé, il en a le vertige.

Le moyen employé par Pélasge pour obtenir ce résultat est pourtant bien simple. Dans la matinée, il occupe son élève à des travaux manuels. Sur sa demande, Saint-Ybars lui a livré un morceau de terre, à une petite distance de l'ermitage de Vieumaite. Tous les jours il s'y rend avec Démon ; une escouade de négrillons marche à leur suite, portant les uns des outils de charpentier, les autres des instruments de jardinage. Pélasge, le marteau ou la bêche à la main, donne le bon exemple. Ces petits travailleurs ont construit une ferme, à laquelle on a donné le nom de *Bonnejoie* ; on en vend les produits aux bateaux à vapeur.

En appliquant à la construction et au fermage les principes de l'arithmétique et de la géométrie, sous la direction de son précepteur, Démon est devenu arithméticien et géomètre, sans connaître ces tortures de l'esprit que l'enseignement abstrait inflige à ses victimes. Il a appris à apprécier les bienfaits du travail matériel, en voyant l'argent qu'il rapporte employé à le vêtir, lui et les petits esclaves qui l' aident.

Après un bon repas et une promenade tantôt à pied, tantôt à cheval, la classe commence. Démon a dépensé son surcroît d'activité aux utiles occupations de la ferme. Tranquille maintenant et jouissant d'un bien-être physique complet, il se plonge avec délices dans ses chères études. Chant-d'Oisel est là, en face de lui, heureuse de ses progrès, fière de se voir devancée par lui.

Tout le monde admire le jeune professeur, mais personne autant que Mlle Nogolka. Peu à peu son admiration s'est confondue avec un sentiment qu'elle croit être de l'amitié, et qui est beaucoup plus que cela. Dévorée du besoin de voir Pélasge, d'entendre sa voix dont le son seul fait vibrer son cœur de doux frémissements, elle souffre quand il est absent ; elle s'inquiète, elle s'attriste, la vie lui est pesante et maussade. Une fois elle s'est surprise à être jalouse de Chant-d'Oisel ; mais cette découverte ne l'a pas éclairée ; elle se croit jalouse d'amitié, comme cela se voit souvent chez les personnes de son sexe. Néanmoins, elle s'est reproché son mouvement de dépit contre son élève : elle, une personne de vingt-six ans, en vouloir à une fillette, à une enfant, parce que M. Pélasge regarde avec complaisance, c'est impardonnable ! c'est être plus enfant que son élève.

Mais Chant-d'Oisel, quoiqu'en dise Mlle Nogolka, n'est plus une enfant ; elle est entrée dans sa quinzième année, et quinze ans pour une nature précoce comme la sienne, ce sont les seize ans des autres demoiselles. Elle a grandi ; les formes extérieures de son corps annoncent déjà la jeune fille. La promptitude avec laquelle ses joues se couvrent d'une rougeur pudique, prouve qu'elle a le sentiment des changements qui se sont effectués en elle.

Quoique Nogolka soit la dupe de son propre cœur, elle écoute la voix de l'instinct qui lui conseille de cacher à tous les yeux, avec le plus grand soin, l'affection qu'elle a pour Pélasge. Elle est aimée de quelqu'un qu'elle n'aime pas, aimée avec fureur, aimée avec toute l'âpreté d'une passion criminelle. C'est là la cause de cette tristesse que Pélasge remarquait sur ses traits, la première fois qu'il la vit. Si celui qui est consumé pour elle d'un amour qu'elle repousse, venait à soupçonner que Pélasge est plus heureux que lui, Dieu sait ce qui arriverait ! un orage éclaterait certainement, et il en sortirait quelque catastrophe.

Mamrie ne se possède pas de joie, en voyant Démon justifier, avec tant d'éclat, l'opinion qu'elle a toujours eue de son intelligence. Elle chante, sur l'air de *Malbrouck s'en va-t-en guerre*, une complainte qu'elle a composée en patois créole, pour déplorer la déconfiture de M. Héhé. Toutes les jeunes domestiques savent cette chanson par cœur, et elles ne manquent jamais, quand passe le protégé de Mlle Pulchérie, de lui en décocher un couplet.

Lagniape rend plus de services qu'on n'en aurait attendu d'un pauvre être disgracié comme elle. Peu à peu Mme Saint-Ybars, ses filles et belles-filles se sont habituées à regarder le cul-de-jatte sans cet effroi et cette pitié douloureuse qu'elles éprouvaient au commencement. Ces dames l'admettent dans leur intimité. Comme Lagniape parle facilement et avec esprit, elle est pour ses maîtresses une chronique d'où elles tirent des renseignements sur l'origine des principales familles du pays, sur les modes et les aventures galantes du temps passé, sur l'adoption des enfants nés dans le mystère. On rit de bon cœur quand la malicieuse vieille prenant telles gens connus aujourd'hui pour leur orgueil de race, montre comment le blanchissement de la peau s'est fait chez eux de génération en génération.

XIII
Li mouri

Mais qu'est devenue Titia, la petite-fille de Lagniape ? on ne la voit plus sur l'habitation Saint-Ybars. Rappelons-nous que le jour où Saint-Ybars l'acheta, Stoval, le marchand d'esclaves avait donné à entendre qu'elle était enceinte. En effet, elle l'était. Lorsqu'après deux mois de séjour sur l'habitation, elle sentit, pour la première fois, remuer son enfant, elle alla trouver Lagniape, et lui dit en pleurant qu'elle était la plus malheureuse des femmes de penser qu'elle mettrait au monde un petit être voué à l'esclavage.

« Ma fille, lui répondit la vieille, si tu veux m'écouter et faire comme je te dirai, ton enfant ne sera pas esclave. »

Titia essuya ses yeux et écouta. Les événements, à mesure qu'ils se développeront, révéleront le conseil que Lagniape lui donna.

On était alors au mois de juin. Une sauvagesse appartenant à la tribu campée dans le voisinage du sachem, apportait tous les jours, chez Saint-Ybars, un panier de mûres cueillies dans les bois. Ces baies, arrangées avec du lait et du sucre, étaient un régal pour Chant-d'Oisel et ses sœurs. La taïque qui les vendait, parlait un jargon composé d'indien et de créole. Lagniape était la personne qui la comprenait le mieux : aussi, avaient-elles ensemble de fréquents entretiens. Une après-midi qu'elles étaient seules dans la cour, à l'heure du dîner des maîtres, l'Indienne dit à voix basse :

« Li mouri[1].

— Ah ! métisse là mouri, murmura Lagniape[2].

— Oui, ajouta la taïque en regardant le sol, li en ba là[3].

---

[1] Elle est morte.

[2] Ah ! la métisse est morte, murmura Lagniape.

[3] Oui, elle est en bas, là.

— Ouzot enterré li dijà[4] ?
— Oui.
— Alor ouzot apé parti[5] ?
— Oui.
— Can[6] ? »

La sauvagesse promena son regard défiant tout autour d'elle ; sûre que personne ne la voyait, elle leva les yeux vers le zénith, et dit :

« Can lune là[7].
— Cé bon. »

Lagnaipe glissa dans la main de l'Indienne un petit sac rempli de picaillons.

Comme on le devine aisément, cet entretien était la suite de plusieurs autres.

La taïque se leva, remit son panier vide dans sa hotte, chargea celle-ci sur son dos, et dit pour tout adieu ce seul mot :

« Boujou.
— Oui, bonjour, murmura Lagniape se parlant à elle-même, bonjour jusqu'au printemps prochain. »

À peine la sauvagesse s'était-elle éloignée, que Titia traversait la cour. En passant près de Lagniape, elle laissa tomber son mouchoir, et se baissa pour le ramasser.

« C'est pour cette nuit, chuchota Lagniape.
— Ah !
— Oui, à une heure du matin.
— C'est bien. »

Titia se redressa et poursuivit son chemin.

Chaque année, au mois de juin, les Indiens de l'habitation Saint-Ybars émigraient pour revenir seulement en automne. Cette fois, ils

---

[4] Vous l'avez déjà enterrée ?

[5] Alors, vous allez partir ?

[6] Quand ?

[7] Quand la lune sera là.

avaient retardé leur départ de quelques jours, à cause de la métisse qui se mourait. Elle morte, ils avaient résolu de partir en profitant de la fraîcheur de la nuit. Dès le coucher du soleil, les préparatifs de voyage étaient terminés, les hottes remplies jusqu'au bord et bien ficelées. À minuit les hommes dormaient encore ; les femmes, assises en rond devant les cabanes, causaient à voix basse. Elles virent une forme humaine sortir avec précaution d'un champ de cannes à sucre, et s'approcher en se faufilant dans l'herbe comme un serpent. C'était Titia. Elles la conduisirent dans une cabane, où elles lui ôtèrent ses habits pour lui faire revêtir ceux de la métisse. Elles défirent ses cheveux et la coiffèrent à la sauvage. Quand le moment de se mettre en route fut venu, on lui fit prendre la hotte de la métisse. Les hommes quittèrent le camp les premiers ; les femmes les suivirent à une demi-portée de fusil, marchant à la file, chacune courbée sous son lourd fardeau retenu par une courroie appuyée au front. Titia était placée au milieu. L'unique enfant de la tribu était porté par la femme qui fermait la marche : à califourchon sur le cou de sa mère, il dormait, sa petite tête appuyée sur la sienne. Le balancement de la marche le berçait dans son sommeil ; sa jolie figure cuivrée miroitait à la lumière de la lune.

La caravane se dirigea vers le fleuve, sans qu'une parole interrompit le silence de la nuit. Arrivée au chemin qui longe la levée, elle tourna à gauche, commençant dès lors à côtoyer le *Père des Eaux*, dont elle se proposait de suivre les sinuosités jusqu'à la Nouvelle-Orléans. De là, après une courte halte, elle devait se rendre au lac Pontchartrain, pour s'embarquer sur une des goilettes qui font le voyage de Bonfouca. Reprenant, au débarquement, son voyage à pied, elle n'avait plus qu'une lieue à faire pour rencontrer la tribu amie des Chactas qui l'attendait au bayou Lacombe.

XIV
Le 20 et le 21 septembre

Dès le lendemain, un journal de Donaldsonville annonçait la disparition de Titia. L'avis était contenu dans un cadre au coin supérieur duquel on voyait, à gauche, une gravure représentant une femme dans l'attitude de la course, portant sur son épaule un paquet de voyage au bout d'un bâton. Le signalement de la fugitive était donné minutieusement ; cinquante piastres étaient promises à qui la ramènerait à l'habitation Saint-Ybars.

Deux personnes eurent plus de chagrin que les autres de la fuite de Titia, mais pour des motifs bien différents. Chant-d'Oisel en éprouva la douleur amère et décourageante, que cause l'ingratitude ; ne pouvant pas apprécier le dévouement maternel de son esclave, elle crut qu'elle manquait de cœur. Pour M. le duc de Lauzun, l'acte de la jeune et jolie femme fut une blessure horrible faite à son amour-propre. Amoureux d'elle depuis le jour même de son entrée chez Saint-Ybars, il n'avait cessé de la poursuivre de ses déclarations et de ses demandes. Se croyant le plus beau et le plus séduisant des hommes, pour avoir débauché quelques jeunes négresses, il ne doutait pas de son triomphe ; dans son outrecuidance, il en avait fixé le jour et l'heure ; or, Titia disparaissait juste à la date qu'il avait assignée à sa victoire. Quel coup de foudre pour M. le duc !

L'avis publié par le journal de Donaldsonville, fut reproduit dans ceux des paroisses environnantes, et même dans ceux de la Nouvelle-Orléans. Les gens qui faisaient métier de chasser aux esclaves marrons, en furent cette fois pour leurs frais ; Titia resta introuvable. On finit par croire qu'elle avait réussi à gagner quelque ville libre de l'Ouest ou du Nord.

À l'époque où nous en sommes de notre récit, il n'était plus question de Titia. On était en septembre. La chaleur qui avait été comparativement peu forte en été, menaçait de prendre sa revanche en automne ; elle n'avait cessé de croître depuis le commencement du mois. Le 20, elle fut insupportable. La journée eut un caractère particulier ; elle se composa alternativement de calmes-plats étouffants, et de bouffées de vent, qui, rasant le sol en différents sens, montaient tout à coup en spirales et soulevaient des tourbillons de poussière. Il semblait aux personnes obligées de sortir qu'elles respiraient, non de l'air, mais de la cendre chaude. Dans les maisons, on avait un poids sur la poitrine, et toute la surface du corps était tourmentée de picotements accompagnés d'une sensation de brûlure. On était impatient, agacé.

Après le coucher du soleil, une teinte d'un rouge sombre et d'un éclat métallique envahit le ciel, et persista jusque dans la soirée. Des nuages d'un gris noirâtre, ceux-ci petits, ceux-là énormes, tous déchiquetés sur leurs bords, commencèrent, à la tombée de la nuit, à passer lentement, séparés les uns des autres par des intervalles plus ou moins grands, semblables aux lambeaux d'une immense toile déchirée par le vent. Ils étaient à une hauteur peu considérable, et s'acheminaient vers le nord-ouest.

Vers onze heures, le vent tomba ; les nuages cessèrent de passer, les étoiles brillèrent.

Pélasge passait la soirée chez Vieumaite. Ils étaient dans l'observatoire.

« Le ciel semble se nettoyer, dit Pélasge.

— Ne nous fions pas à cette accalmie, répondit le vieillard ; la chaleur continue, le baromètre est très bas, et voyez comme la boussole est agitée de petits mouvements convulsifs. Remarquez-vous que les étoiles, dans la partie sud-est du ciel, scintillent plus vivement qu'ailleurs ? j'ai toujours pensé, avec quelques astronomes, que le tremblotement de la lumière stellaire tenait aux oscillations de notre atmosphère. Si j'ai raison, l'air doit être, là-bas, troublé par de violentes secousses. Je crois que cette nuit, ou demain dans la matinée, nous aurons un ouragan. »

À une heure du matin, le temps étant encore tranquille et le ciel serein, Pélasge se disposa à rentrer. Vieumaite voulut lui prêter son fusil.

« Ce n'est pas la peine, je vous remercie, dit Pélasge ; je ne sors jamais armé.

— En effet, je l'ai remarqué, répondit Vieumaite ; vous avez tort ; il est toujours bon de prendre ses précautions. Entre nous, je vous crois un peu fataliste.

— Pardon, reprit Pélasge, je ne le suis pas. Ce qui est vrai, c'est que je n'ai pas le sentiment du danger. Je ne m'en fais aucun mérite, veuillez bien le croire ; c'est quelque chose qui me manque, voilà tout.

— Je vous comprends, répliqua Vieumaite ; il y a des côtés de la nature humaine dont on ne voit pas trace chez certaines personnes. Ainsi, moi, par exemple, il y a plusieurs passions, entre autres celle du jeu, dont je n'ai jamais éprouvé la plus légère atteinte. Il n'en est pas de même de mon fils : toutes les passions qui peuvent troubler l'homme, semblent s'être donné rendez-vous dans son organisme. Heureusement, l'éducation lui a appris à les maîtriser ; il n'y a que la colère qui soit restée plus forte que lui. Allons, écoutez un bon conseil ; prenez mon fusil, quand ce ne serait que pour ne pas vous trouver à la merci de quelque gros ours, comme on en rencontre quelquefois en traversant ces immenses champs de cannes. Le canon droit est chargé à balle, le gauche à chevrotines.

— Je tiens trop à vous être agréable, répondit Pélasge, pour refuser plus longtemps. »

Il prit le fusil.

« Une précaution de plus, dit le vieillard en lui présentant quelques capsules ; le fusil pourrait rater. »

Pélasge sourit de cet excès de prévoyance, et partit sans choisir son chemin. Il marchait d'un pas tranquille, comme quelqu'un qui n'est pas pressé d'arriver ; il n'avait pas la moindre envie de dormir. Le hasard le fit passer devant l'enceinte du sachem. Il s'arrêta un instant, pour contempler ces cyprès qui se dessinaient, noirs et immobiles, à la lumière des étoiles, et le dôme imposant du vieux chêne. Par moments toute la masse devenait plus sombre ; puis, au bout de quelques minutes, elle sortait de l'obscurité et semblait grossir. Cet effet était dû aux nuages qui recommençaient à passer au-dessus de la savane. Cette succession de ténèbres et de clarté, lui donna l'idée de s'approcher de la porte de l'enceinte, pour voir, à travers le grillage, les oppositions de l'ombre et de la lumière sous le feuillage. Il jouissait de ce spectacle depuis quelques minutes, un bras appuyé à la porte, lorsqu'il s'aperçut qu'elle cédait sous le poids de son corps ; il la poussa, elle s'ouvrit sans résistance. Il pensa que le gardien avait oublié de la fermer.

« Ma foi, se dit-il, puisque l'occasion s'en présente, allons voir le sachem à *cette obscure clarté qui tombe des étoiles*, comme dit notre Corneille, ce vieux chêne de la poésie française. »

XV
Sous le sachem

À peine Pélasge écartait-il les ramuscules, pour pénétrer sous la voûte, qu'une nuit épaisse se fit ; de gros nuages noirs couvraient tout le ciel. Il avança en tâtonnant. Graduellement une lueur semblable au crépuscule, descendit des rameaux supérieurs et se répandit dans la vaste rotonde. Pélasge en profita ; il voulut faire le tour de l'enceinte, en passant derrière le tombeau ; il en approchait et commençait à distinguer le fronton et les colonnes de l'entablement. Il se baissa pour passer sous l'extrémité d'une branche qui lui barrait le chemin. Mais il se redressa aussitôt, comme s'il eût changé d'idée subitement. Il se cacha sans bruit dans le feuillage, de manière à pouvoir regarder sans être vu. Il venait de se convaincre qu'il n'était pas seul sous le vieux sachem : autant qu'il put voir dans le clair-obscur, c'était une femme qui s'approchait. Il n'en douta plus, lorsque la personne inconnue s'arrêta devant la tombe. Elle était vêtue d'une robe blanche ; un voile blanc à travers lequel se dessinait vaguement sa figure, tombait sur ses épaules et descendait jusqu'au dessous de la taille. Debout devant le sépulcre, elle paraissait immobile comme lui.

Non seulement Pélasge se demandait qui était cette femme, mais encore ce qu'elle venait faire dans un pareil lieu, à une heure aussi avancée. Pourquoi s'arrêter ainsi devant ce mausolée ?

Cependant, Pélasge redoubla d'attention ; il venait d'entendre des pas. La femme se retourna ; quelqu'un venait à elle. Au même moment l'obscurité recommençait ; Pélasge ne vit plus rien, mais une voix d'homme et une voix de femme lui apportèrent le dialogue suivant.

La voix d'homme. — Vous devez me savoir gré d'être venu.

La voix de femme. — Oui ; je ne marchanderai pas pour vous remercier.

La voix d'homme. — Pourquoi ici plutôt qu'ailleurs ?

La voix de femme. — J'ai une promesse à vous demander ; faite devant cette tombe, vous la respecterez.

La voix d'homme. — Je vous reconnais bien là avec votre caractère qui ne ressemble à celui de personne. Soit ; parlez.

La voix de femme. — Engagez-vous solennellement à ne plus troubler mon repos, ou laissez-moi partir.

La voix d'homme. — Quoi ? Ne plus vous parler de ce qui est ma vie elle-même ! quoi ? m'ôter moi-même le droit d'espérer que je parviendrai enfin à vous fléchir !... non, jamais.

La voix de femme. — Alors, Monsieur, acceptez mon dédit.

La voix d'homme. — Vous auriez pourtant le courage de me déchirer ainsi le cœur. Je suis bien malheureux ! Parvenu à mon âge, j'éprouve pour la première fois, oui la première fois, la passion la plus forte et la plus douce qui puisse remplir l'âme ; et dire que la personne à qui elle s'adresse, est sans pitié pour moi ! Non, non, vous n'aurez pas la barbarie de me quitter. Voyons, rappelez-vous mes dernières propositions ; réfléchissez, il y va de votre avenir ; plus tard, quoiqu'il arrive, si vous acceptez mes offres, vous aurez une position assurée.

La voix de femme. — Assez, Monsieur ! c'est trop m'insulter. C'est à moi de vous dire : – Réfléchissez ; il y va de votre honneur. – Mais non, je ne vous parlerai pas de vous, puisque, dites-vous, le soin de votre dignité est une affaire qui ne regarde que vous. Mais moi, Monsieur, si j'acceptais – enfin, donnons à la chose son vrai nom – je serais votre concubine. Concubine à prix d'argent... ah ! Monsieur, ne renouvelez pas votre outrage ; de toutes les douleurs de ma vie je vous dois la plus poignante. Mais pensez-y donc ! ce serait l'infamie jointe à la trahison, ce serait de ma part, envers votre femme toujours admirablement bonne pour moi, l'ingratitude dans tout ce qu'elle a de plus odieux.

La voix d'homme. — Ne me parlez pas de ma femme, si vous ne voulez m'exaspérer. Elle a faussé ma destinée ; elle est la malédiction de ma vie, puisque sans elle je pourrais vous épouser.

La voix de femme. — Si vous n'aimez plus cette sainte mère de famille, au moins respectez-la. Mais votre fille, Monsieur, vous ne me défendrez pas d'en parler. Voudriez-vous me réduire, moi sa protectrice, moi sa seconde mère, à me couvrir du masque de l'hypocrisie pour lui parler des vertus qui font honorer son sexe ? Non, de mon regard, de ma voix, de mon contact sortirait un poison qui ternirait son adolescence.

La voix de l'homme. — Eh bien ! restez ; votre présence est aussi nécessaire à ma vie que l'air que je respire. Je consens à ne plus vous parler de mon amour ; j'en ferai le serment, mais je veux qu'au moins mon sacrifice ait sa récompense ; je veux signer, dans un baiser, l'arrêt par lequel je me condamne moi-même au désespoir.

La voix de femme. — Non, jamais ! résilions notre contrat, laissez-moi partir. »

Il y eut un moment de silence. La lumière revenait sous le chêne, si l'on peut appeler lumière une lueur dans laquelle les objets sont aperçus comme à travers un voile épais. Les deux personnes que Pélasge entrevoyait vaguement, avaient plutôt l'air de fantômes que d'êtres humains. Mais il n'avait pas besoin de les voir mieux, pour les reconnaître ; les voix qu'il entendait lui étaient familières, c'étaient celles de Saint-Ybars et de Nogolka.

Saint-Ybars s'avança, Nogolka recula.

« Non, c'est impossible, dit Saint-Ybars d'une voix frémissante, vous ne partirez pas ; ce serait ma mort.

— Je partirai, répondit Nogolka résolument ; j'invoquerai, s'il le faut, l'intervention de la loi.

— Alors, reprit Saint-Ybars, ce baiser que je demandais comme récompense, laissez-le-moi comme souvenir, comme consolation pour le peu de temps que j'aurai à vivre.

— Non, Monsieur, répondit Nogolka tremblante ; n'avancez pas ! vous me faites peur et horreur. »

Nogolka ne pouvait plus reculer ; son dos était appliqué au tombeau. Saint-Ybars avançait toujours ; ses yeux flamboyaient, le reste de sa figure avait l'expression sinistre qui précède le crime.

« Eh bien ! femme que j'adore et que je hais, dit-il en grinçant des dents, puisque tu ne veux rien m'accorder, je prendrai tout. »

Et il se précipita sur Nogolka comme une bête féroce.

« Monsieur, ah ! Monsieur, s'écria-t-elle en se débattant, c'est un sacrilège ! vous profanez la tombe de vos ancêtres ; si votre père était ici, il vous tuerait. »

L'indignation donne des forces. Nogolka, les bras meurtris, les cheveux épars, parvint à se dégager ; elle repoussa violemment Saint-Ybars, et revint au tombeau. Là, elle se sentit épuisée. Voyant revenir Saint-Ybars, elle frissonna d'épouvante et de honte ; c'était le déshonneur qui s'approchait. Dans son désespoir, elle se mit à frapper des deux mains sur le marbre, en s'écriant comme une folle :

« Ô morts, morts sacrés, venez donc à mon secours ! »

Pélasge pensa qu'il était temps d'intervenir.

« La noble fille ! se dit-il, elle s'est bien défendue ; mais la voici aux abois. »

Il ouvrit la bouche, pour lancer ces deux mots à Saint-Ybars : « Halte-là ! » – un incident imprévu refoula sa voix dans son gosier.

Nogolka frappait encore sur la tombe, lorsqu'un cri étrange, une sorte de plainte aiguë et sanglotante, sortit du feuillage, au-dessus du mausolée.

Il y eut quelques secondes de profond silence ; puis, tout l'espace que le sachem embrassait passa, coup sur coup, de l'obscurité à la lumière et de la lumière à l'obscurité. Les échos de la foudre lointaine vinrent mourir sourdement dans les branches du vieil arbre.

Nogolka n'était ni superstitieuse ni portée à admettre des faits surnaturels : mais n'ayant jamais entendu le cri de la chouette, elle ne savait à qui attribuer la voix qui répondait avec tant d'à propos à la sienne. En tout cas, elle y vit un signe de salut. La confiance lui revint, une fierté sublime remplaça sur son visage, l'empreinte de la terreur.

Le cri de la chouette n'était pas chose nouvelle pour Saint-Ybars ; mais il était superstitieux, lui, comme beaucoup de gens chez qui les passions sont plus fortes que la raison. La voix lugubre de l'oiseau nocturne, fit sur lui le même effet que l'horloge sur le condamné à qui elle annonce le moment de son exécution. Ses forces l'abandonnèrent ; la honte et le mépris de lui-même l'envahirent : il pensa à ses enfants ; puis, passant brusquement de la stupéfaction au désespoir :

« Puisque vous voulez absolument partir, dit-il, vous partirez ; mais sachez-le bien : cinq minutes après que vous aurez laissé ma maison, une détonation d'arme à feu se fera entendre dans ma chambre ; on accourra, et on trouvera un cadavre sur le plancher. Adieu.

— Ce que vous dites là est abominable, Monsieur, s'écria Nogolka ; c'est la contrainte morale, c'est l'inquisition, c'est barbare, c'est lâche. »

La moitié des paroles de Nogolka n'arrivèrent pas aux oreilles de Saint-Ybars ; il s'était précipité vers la sortie.

Tout redevint silencieux ; les roulements du tonnerre dans le lointain étaient encore si étouffés qu'ils ne troublaient en rien la tranquillité rétablie sous le sachem. Cependant, les éclairs se multipliaient et envahissaient une grande partie du ciel. Nogolka, plongée dans ses pensées, n'entendait pas la foudre, ne voyait pas les éclairs. Elle se mit à parler tout haut, comme si elle se fût adressée à des personnes présentes. « Mes chers parents, dit-elle, lorsqu'après avoir dépensé votre petite fortune, pour compléter mon instruction, vous me disiez : "Va maintenant dans le monde ; tu as tout ce qu'il faut pour gagner honnêtement ton pain" – vous étiez loin de soupçonner, n'est-ce pas, les dangers et les chagrins au-devant desquels vous m'envoyiez. Vous avez cru faire pour le mieux, cher père, chère mère bien-aimée : je ne vous reproche rien, soyez bénis. »

Après avoir prononcé ces paroles, elle se dirigea vers la porte, sans même penser à arranger ses cheveux. Pélasge la suivit avec précaution ; il ramassa son voile déchiré dans la lutte, et le mit sous son gilet.

Nogolka prit le grand chemin qui traversait les champs de cannes d'un bout à l'autre. Elle rentra par la cour de derrière. Le dogue de garde (il se nommait Cerbère), l'ayant sentie de loin, alla au-devant d'elle et appliqua amicalement son museau à sa main pendante, pour attirer son attention. Elle lui répondit par quelques caresses, et rentra.

Quand Pélasge vit de la lumière dans la chambre de Nogolka, il revint sur ses pas pour prendre un sentier qui conduisait au fleuve. De nombreux troncs d'arbres, saisis au passage, gisaient sur la batture ; il s'assit sur l'un d'eux, aussi près que possible de l'eau, pour respirer un air plus frais. Au loin, les éclairs serpentaient sur un fond noir. Le centre de l'orage semblait se déplacer vers l'Est ; jusque-là il n'était pas probable qu'il passât sur l'habitation Saint-Ybars.

XVI
Une mère qui se sépare de son enfant

Vers quatre heures, Pélasge, fatigué de réfléchir, se leva pour regagner sa chambre et essayer de dormir. Il croyait que le chapitre des étonnements et des émotions, était clos pour le reste de la nuit. Peut-être se trompait-il.

Il prit le chemin des charrettes. Cette voie longeait à une certaine distance l'avenue des chênes, les jardins, la maison et les cours, passait derrière le camp, et allait se perdre dans la cyprière. Une barrière courait de chaque côté, cachée presque entièrement par des chèvrefeuilles et des jasmins. Entre le chemin et la barrière il y avait un fossé, de chaque côté. Comme il n'avait pas plu depuis longtemps, les fossés étaient à sec.

Pélasge approchait de la maison ; son intention était de passer par la cour des magnolias, comme avait fait Nogolka. Avant de rentrer, il voulut, une dernière fois, consulter le temps ; il s'arrêta au bord du fossé à gauche, et regarda le ciel. Il remarqua que les nuages chassés vers le nord, depuis la veille, revenaient vers le sud, et que ceux qui étaient les plus élevés commençaient à tourbillonner. À ce dernier signe, il jugea qu'un foyer de tempête se formait au-dessus de l'habitation. Son attention fut ramenée sur la terre, par le bruit du feuillage qu'on écartait. Était-ce quelque nègre marron cherchant à voler ? était-ce un animal sauvage ? Dans le doute, il enjamba le fossé, s'accroupit au pied de la barrière pour mieux se cacher, et arma son fusil. Le buste d'une femme sortit lentement du feuillage ; l'inconnue regarda et écouta. Ne voyant personne, n'entendant rien, elle descendit dans le fossé et traversa le chemin, ployée comme une personne qui porte un objet qu'elle veut cacher. Elle se fraya un passage dans la haie opposée, et disparut.

« Décidément, pensa Pélasge, c'est la nuit aux aventures. »

Il voulut, sans perdre de temps, suivre la rôdeuse nocturne ; il traversa la haie au même endroit qu'elle : mais il eut beau regarder de tous côtés, il ne vit personne.

« Si elle est allée du côté de la maison, se dit-il, je m'en rapporte à Cerbère ; si elle s'est dirigée vers le corps de logis des domestiques, ou vers le camp, c'est moi qu'elle rencontrera. »

Pendant qu'il marchait vers le fond de la cour, l'inconnue se dirigeait dans le sens opposé. Elle n'avait plus que quelques pas à faire pour arriver à la maison ; elle s'arrêta : dans l'ombre de l'escalier qui conduisait de la galerie d'en bas à celle d'en haut, deux lumières parurent ; elles brillaient comme deux billes de fer rougies au feu. Elle eut peur, et voulut rétrograder. Il était trop tard. En quatre bonds Cerbère tombait devant elle, se dressait tout droit, posait ses énormes pattes sur sa poitrine, et lui montrait ses crocs formidables.

D'abord, plus morte que vive, la malheureuse resta comme pétrifiée. Mais, ranimée par l'amour maternel (car c'était son enfant qu'elle serrait contre son sein), elle reprit sa présence d'esprit, et dit d'une voix aussi naturelle que possible :

« Cerbère, eh bien ! Cerbère, que fais-tu ? me mordre, Cerbère, moi, ton amie ! »

Cerbère grogna moins fort. La femme prit confiance ; elle dégagea doucement sa main droite, et la passa sur la tête du terrible dogue, toujours en répétant son nom. Cerbère se tut tout à fait ; puis, après avoir senti le cou de la femme, il se remit sur ses quatre pattes. Cependant, le poil de son dos était encore hérissé. Il approcha plusieurs fois son museau des genoux de l'inconnue ; alors sa queue commença à osciller. Pour compléter son examen, il passa derrière la femme et flaira ses jambes. Il ne lui en fallut pas davantage, il la reconnut ; dans sa joie, il se mit à courir en décrivant de grands ronds, et en soulevant un nuage de poussière. La femme l'appela à voix basse, et mettant son index sur ses lèvres, elle répéta plusieurs fois *chut* ! Cerbère dressa ses oreilles d'une façon significative. La femme découvrit le visage de l'enfant qui dormait.

« Tu vois comme il est joli, mon bébé, dit-elle ; Cerbère, sens-le. »

Le gros nez noir du dogue effleura la joue, le cou, les mains et les pieds du petit enfant.

« À présent, viens, ajouta la femme : doucement ! doucement ! »

Le chien imita celle qui lui parlait, il marcha à pas de loup. Elle monta l'escalier, s'arrêtant à chaque deux ou trois marches pour écouter. Tout était tranquille ; pas une feuille d'arbre ne bruissait. La femme glissa plutôt qu'elle ne marcha sur la galerie d'en haut, jusqu'à ce qu'elle arrivât à la porte du milieu. Là elle ôta sa couverte, la plia en quatre, la posa sur le plancher et mit l'enfant dessus. Elle était toute tremblante ; elle avait compté sur une nuit noire, et les éclairs étaient devenus si fréquents que la galerie était presque sans interruption comme en plein jour. Mais la chose pour laquelle la femme était venue, étant commencée, il fallut aller jusqu'au bout. Elle défit sa robe, et, appuyée sur ses genoux et ses mains, elle approcha son sein gorgé de lait des lèvres closes de son enfant ; puis, elle le réveilla. L'enfant ouvrit les yeux en souriant, et prit le sein. Satisfait, il se rendormit. La mère pleurait ; elle se séparait de son enfant, peut-être pour toujours.

Cerbère intrigué semblait demander l'explication de ce qu'il voyait.

« Mon bon Cerbère, chuchota l'inconnue, tu es étonné de me voir m'en aller seule : c'est pour le bien de l'enfant. Fais bonne garde ! ne laisse approcher personne, excepté Chant-d'Oisel. Entends-tu, Cerbère ? c'est pour Chant-d'Oisel, Chant-d'Oisel. »

Cerbère se coucha aux pieds de l'enfant ; la mère redescendit ; en moins de cinq minutes, elle disparaissait dans les champs de cannes…

Cinq heures sonnaient à la pendule de Pélasge, au moment où il rentrait dans sa chambre.

XVII
Blanchette

Le jour eut de la peine à percer ; une épaisse couche de nuages couvrait tout le ciel. Cependant, une petite éclaircie se fit à l'orient ; la maison de Saint-Ybars fut soudainement éclairée par le soleil. L'enfant laissé sur la galerie se réveilla. Le premier objet qui frappa sa vue, fut un cardinal posé sur la rampe de la galerie. L'oiseau lissait au soleil son brillant plumage. Ce fut pour l'enfant un spectacle si beau et si intéressant, qu'il se mit à agiter ses bras et ses jambes, avec une animation telle que ses vêtements finirent par voltiger à droite et à gauche ; il ne lui resta plus que sa chemise. L'oiseau, nullement effrayé de ce trémoussement et de ce désordre, se mit à siffler. Oh ! alors la joie de l'enfant devint un vrai délire ; joignant la voix au geste, il commença, lui aussi, son ramage.

Mamrie était dans la chambre de Mme Saint-Ybars ; elle l'aidait à s'habiller.

« Nénaine, dit-elle, cé drol : vou pa tendé comme ain piti capé babiller[1] ?

— Mais oui, répondit la maîtresse, c'est bien le gazouillement d'un petit enfant. »

Mamrie sortit. Mme Saint-Ybars entendit une exclamation de surprise.

« Nénaine ! Nénaine ! cria Mamrie, vini oua ki joli piti fie[2]. »

Mme Saint-Ybars accourut. Le cardinal s'envola. Les yeux de l'enfant en voulant le suivre dans sa fuite, rencontrèrent ceux de Mme Saint-Ybars et de Mamrie.

---

[1] Marraine, dit-elle, c'est drôle, n'entendez-vous pas quelque chose comme un enfant qui babille ?

[2] Marraine, marraine ! cria Mamrie, venez voir quelle jolie petite fille.

« Li tro joli ! s'écria Mamrie ; ga comme li gai, comme lapé ri[3].

— C'est vrai, dit Mme Saint-Ybars ; elle a un petit air si aimable ! vois comme elle nous tend les bras ; prends-la. »

Jusque-là Cerbère n'avait pas bougé. Quand il vit Mamrie se baisser pour prendre l'enfant, il se leva et gronda.

« Ki ci ça ? dit Mamrie, s'adressant à Cerbère ; dabor ki permette toi entré dan la mézon ? cofair tapé grognin ? èceque to oulé empéché moin pranne piti cila[4] ? »

Cerbère gronda plus fort, et montra les dents.

« Mamrie, prends garde, dit Mme Saint-Ybars, il est vraiment menaçant ; laisse-moi essayer. »

Mme Saint-Ybars à son tour se baissa ; mais Cerbère passant ses pattes de devant par-dessus l'enfant, grogna encore et roula ses gros yeux jaunes.

« Que signifie tout ceci ? dit Mme Saint-Ybars ; Mamrie, va prévenir Monsieur. »

En quelques minutes Saint-Ybars, ses fils, ses filles, ses gendres, ses belles-filles et plusieurs domestiques étaient sur la galerie. Cerbère se promenait d'un air redoutable autour de l'enfant ; aux ordres et aux menaces de Saint-Ybars, il répondait par un aboiement furieux.

Nogolka s'était levée plus tard que de coutume. En sortant de sa chambre, elle entendit Démon qui appelait Chant-d'Oisel, en lui disant de venir voir quelque chose d'extraordinaire. Chant-d'Oisel accourut. Dès que Cerbère la vit, il s'arrêta, la regarda, ensuite regarda l'enfant et gémit d'une voix caressante. Chant-d'Oisel prit l'enfant. Ce fut à qui s'extasierait le plus sur l'étrange conduite de Cerbère ; quant à lui, sa mission finie, il reprit tranquillement le chemin de la cour.

---

[3] Elle est trop jolie ! s'écria Mamrie ; regarde comme elle est gaie, comme elle rit.

[4] Qu'est-ce que c'est ? dit Mamrie, s'adressant à Cerbère ; d'abord, qui t'a permis d'entrer dans la maison ? Pourquoi grognes-tu ? Est-ce que tu veux m'empêcher de prendre cette petite-là ?

Jamais fillette à qui l'on donne une belle poupée pour ses étrennes, ne manifesta plus de joie que Chant-d'Oisel. L'enfant lui souriait, mettait ses petites mains sur ses joues, et posait ses lèvres sur les siennes.

Vieumaite arriva, au milieu du bruit et des commentaires qui se faisaient autour de l'enfant ; on lui expliqua ce qui causait tout ce tapage. D'abord, ce fut son œil du côté triste et défiant qui regarda l'enfant ; mais, en moins d'une minute, son visage tourna.

« Est-elle rosée ! dit-il, est-elle blanchette ! Oui, Mademoiselle, vous êtes bien blanchette ; je prédis que vous ferez bien des conquêtes avec ce teint de lys.

— Grand-père, dit Chant-d'Oisel, vous avez trouvé son vrai nom ; on l'appellera Blanchette.

— Va pour Blanchette », répondit Vieumaite.

Il y avait quatre heures que Mademoiselle Blanchette n'avait tété ; elle se mit tout à coup à faire une mine triste et larmoyante. Une des brus de Saint-Ybars allaitait, en ce moment même, un gros garçon ; elle le donna à Mamrie, et mit Blanchette à sa place. Blanchette suça tout son soûl. Quand elle eut fini, elle sourit si gracieusement que plusieurs voix dirent en même temps :

« Est-elle gentille ! »

La jeune femme qui venait de lui donner le sein, regarda son mari, et dit :

« J'ai envie de l'adopter.

— Comme tu voudras, chère amie ; adoptons-la.

— Je serai sa marraine, s'écria Chant-d'Oisel en battant de mains.

— Et moi son parrain », dit Démon.

Il n'y avait plus qu'une personne dans la maison qui ne sût pas ce qui se passait, c'était Pélasge ; il dormait. La cloche du déjeuner le réveilla. Il eut d'abord un peu de peine à se reconnaître, en se voyant tout habillé ; le sommeil l'avait surpris dans son fauteuil. N'aimant pas à se faire attendre, il se hâta de plonger sa figure dans une cuvette d'eau fraîche et d'arranger ses cheveux. Il descendit par la galerie de devant. En bas il rencontra Vieumaite, que Mme Saint-

Ybars essayait de retenir à déjeuner ; une affaire importante appelait le vieillard sur une habitation distante de trois lieues ; il s'excusa de ne pouvoir rester : on l'attendait, il avait donné sa parole. Il emportait sa valise et faisait une absence de trois jours. Mme Saint-Ybars en eut du regret ; elle avait remarqué que son mari avait l'air plus sombre et plus maussade que jamais ; elle espérait que la présence du père réprimerait la mauvaise humeur du fils. Elle rentra en levant les yeux au ciel, et en soupirant.

Vieumaite, en peu de mots, apprit à Pélasge l'événement du matin. À son tour Pélasge lui parla de la femme vue par lui sur le chemin des charrettes.

« Je crois avoir le mot de l'énigme, dit Vieumaite : je sais pertinemment qu'une famille de petits blancs, à six milles d'ici, a donné l'hospitalité, moyennant finance, à une jeune demoiselle de la Nouvelle-Orléans compromise par un étranger qui s'est enfui. C'est probablement elle, ou quelque femme à son service, que vous avez rencontrée. Enfin, qu'importe ? on nous a donné l'enfant, nous le gardons. C'est une charmante petite fille, vous allez voir. Adieu ; je n'ai pas trop de temps devant moi, l'état de l'atmosphère est toujours bien menaçant. »

Tout en parlant, Vieumaite, aidé par le jeune nègre qui l'accompagnait toujours, s'était remis sur sa selle.

« Je vois que vous avez pris vos précautions, dit Pélasge, en posant sa main sur un manteau bouclé derrière la selle.

— Il est bien vieux, répondit Vieumaite, mais il est encore utile. Vous ne sauriez croire combien j'y suis attaché. Nous avons vu bien des pays ensemble, supporté plus d'une averse, dormi à la belle étoile en Italie, en Espagne, en Grèce, en Asie Mineure. »

Le cheval de Vieumaite piaffait d'impatience, l'approche de l'orage le rendait nerveux.

« En route ! » dit Vieumaite, en effleurant de l'éperon le flanc de son cheval.

Le bouillant animal hennit de joie, et partit avec la rapidité de la flèche.

XVIII
L’Ouragan

À huit heures on ne voyait plus un rayon de soleil ; le jour était terne et triste. Aucun oiseau ne traversait l’espace, pas un insecte ne criait dans l’herbe ou sur les arbres ; dans le silence morne, les petites grenouilles vertes seules s’appelaient et se répondaient de leur voix grêle, heureuses qu’elles étaient de sentir approcher l’orage. La cime des arbres les plus élevés commençait à frissonner ; une pluie d’une finesse extrême, légère comme la fumée, ondoyait dans l’air plutôt qu’elle ne tombait.

Un second coup de cloche appela la famille dans la salle à manger. Le commencement du repas fut silencieux. Saint-Ybars paralysait toute expansion, tant son visage était renfrogné et menaçant ; il ressemblait à l’ouragan qui maintenant avançait rapidement.

Mme Saint-Ybars était inquiète et gênée ; elle servait mal. Son mari lui reprocha sa maladresse en termes amers et sarcastiques. Nogolka mangeait du bout des lèvres. M. de Lauzun, attentif au moindre signe de Saint-Ybars, le servait avec un redoublement d’obséquiosité ; car, autant il était impertinent envers Mme Saint-Ybars, autant il craignait son maître. Aussi méchant que poltron, il se réjouissait intérieurement de la scène qu’il voyait venir. Lagniape était près de la porte cintrée du milieu donnant sur la cour.

Mme Saint-Ybars, en passant une assiettée de court-bouillon, en laissa tomber sur la nappe. Son mari la railla dans un langage, qui, dur au début, devint progressivement grossier et même injurieux. Elle fit un mouvement pour se retirer ; mais, se ravisant, elle reprit sa place et se tut. Ses filles et ses brus rougissaient ; les hommes se regardaient, peinés mais irrésolus. Chant-d’Oisel pleurait ; Démon dévorait ses larmes.

La résignation de Mme Saint-Ybars, au lieu de calmer son mari comme elle l'espérait, le rendit furieux ; il lui jeta une épithète si insultante, qu'elle cacha son visage dans ses mains. Tous les convives, excepté Mlle Pulchérie, cessèrent de manger. Il y eut quelques secondes d'un silence effrayant ; il n'était interrompu que par des coups réguliers venant de la cour : un nègre coupait du bois pour la cuisine.

Soudain Démon, le poing serré, le visage en feu, frappe sur la table et s'écrie :

« Eh bien ! non, je ne veux pas ! c'est injuste. »

On se regarda, et on regarda Saint-Ybars ; une même anxiété étreignait toutes les poitrines.

Saint-Ybars fixant ses yeux sur Démon, lui dit d'un ton glacial :

« Qu'est-ce que Monsieur ne veut pas ?

— Je ne veux pas qu'on avilisse ma mère, répond le jeune garçon.

— Sortez de table ! crie Saint-Ybars en se dressant de toute sa hauteur.

— Démon, mon enfant, obéis, dit Mme Saint-Ybars d'une voix suppliante ?

— J'obéis, maman. »

Saint-Ybars, montrant une des portes vitrées qui regardaient la cour, dit à Démon :

« À genoux, là !

— À genoux, moi ! à genoux, parce que je prends la défense de ma mère !... j'aime mieux mourir.

— C'est ce que nous allons voir », dit Saint-Ybars avec un ricanement sauvage.

Et se tournant vers M. de Lauzun :

« Allez me chercher la baleine. »

Un frisson d'horreur passa sur tous les cœurs.

M. de Lauzun, le sourire sur les lèvres, partit comme un éclair et revint de même.

Saint-Ybars prit la baleine, et répéta :

« À genoux !

— Non, répondit fièrement l'enfant ; on se met à genoux devant Dieu seul. »

Saint-Ybars marcha vers son fils. La colère le rendit hideux ; il fit horreur et pitié à Pélasge.

« Pour la dernière fois, hurla-t-il, à genoux. »

Démon était affreusement pâle, mais résolu ; il répondit en relevant la tête :

« Non ! »

La baleine siffla, et deux fois le cingla entre la tête et l'épaule. Il tint bon ; la douleur remplit ses yeux de larmes, mais il eut le courage de n'en pas laisser tomber une seule.

« Te mettras-tu à genoux cette fois ? » demanda le père d'une voix qui tenait plus de la bête féroce que de l'homme.

« Moins que jamais ! » répondit Démon.

Pélasge se leva, et se mettant entre le père et le fils :

« De grâce, Monsieur, dit-il, revenez à vous ; ce que vous faites là est horrible ; il y a d'autres manières de punir plus dignes de vous et de votre fils.

— Ah ! vous voulez me donner des leçons, à moi aussi », cria Saint-Ybars avec un rire chevrotant.

Et, employant avec intention le terme dont on se sert en Louisiane pour chasser les chiens, il ajouta :

« Passez ! »

Pélasge sentit l'outrage, mais il se contint.

« Passez ! vous dis-je, vociféra Saint-Ybars en secouant sa baleine ; sinon, je vous coupe la figure. »

Nogolka courut se mettre entre les deux adversaires. Pélasge l'écarta doucement.

« Non, Monsieur, dit-il, vous ne le ferez pas : vous savez bien que si vous étiez assez malheureux pour vous oublier à ce point, il faudrait que l'un de nous deux disparût de ce monde.

— Une menace ! un duel ! dit Saint-Ybars ; est-ce que par hasard vous avez la prétention de m'intimider, Monsieur le maître d'école ? m'intimider, moi qui ai entendu quatre fois, dans mes duels, la balle d'un pistolet siffler en effleurant mon corps !

— Laissez là cette vanterie, Monsieur, riposta Pélasge ; moi, pendant les quatre jours que j'ai combattu sur les barricades, à Paris, je n'ai pas compté les balles qui sifflaient à mes oreilles ; c'eût été trop long ; j'ai pris note seulement de celles qui ont pénétré dans mes chairs.

— Eh bien ! tes chairs en recevront une de plus, brave des braves », dit Saint-Ybars.

La baleine décrivit un cercle ; mais Nogolka, plus prompte qu'elle, se précipita sur Pélasge, pour le couvrir de son corps. Ce fut elle qui reçut le coup, à la tête et à la nuque. Son peigne vola en plusieurs morceaux ; ses cheveux, tachés de sang, couvrirent ses épaules et son dos. Pélasge essaya vainement de se dégager ; l'amour secret de Nogolka pour lui, donnait aux bras dont elle l'enveloppait une force surhumaine.

Saint-Ybars, rendant Démon responsable du sang qui coule, revient sur lui comme le tigre sur la proie qui croit lui échapper. Mais Chant-d'Oisel, encouragée par l'exemple de Nogolka, court à son père, sans qu'il la voie, lui arrache la baleine et fuit sur la galerie de devant. Saint-Ybars saisit Démon au col de sa chemise et, le menaçant de son poing, lui répète l'ordre de se mettre à genoux. Un *non* énergique porte la colère de Saint-Ybars à son paroxysme ; elle devient de la folie furieuse. Le malheureux enfant est frappé plusieurs fois à la figure. Au même instant la tempête prévue par Vieumaite, arrive. Un vent terrible secoue toute la maison ; les portes et les fenêtres battent avec violence ; en haut, en bas, partout les vitres cassées tombent comme un grêle de verre ; les détonations de la foudre, partant de trois foyers différents, entourent l'habitation d'un cercle de feu.

Lagniape a rampé jusque sur la galerie, du côté de la cour ; là, étendant ses bras inégaux vers Mamrie, elle crie :

« Au secours, Mamrie ! yapé tué vou piti[1].

[1] On est en train de tuer votre petit.

— Tué mo piti ! s'écrie Mamrie, ki céléra qui osé fé ça[2] ? »

Pour tout vêtement, Mamrie, en ce moment, a sa chemise et un jupon ; elle est nu-pieds. Elle court au nègre qui coupe du bois, prend sa hache, et se précipite dans la salle à manger.

« Ki apé tué mo piti[3] ? » dit-elle en levant sa hache.

Puis, elle parcourut la pièce d'un regard rapide : à peine a-t-elle vu Démon secoué par son père contre une porte, qu'elle bondit vers Saint-Ybars :

« Largué mo piti, dit-elle ; si vou pa largué li, aussi vrai que yé pélé moin Mamrie, ma fende vou la tête[4] ! »

Saint-Ybars lui jette un regard de mépris, et se retourne pour frapper son fils. Démon veut soustraire à un nouveau coup son visage déjà meurtri ; son front rencontre un des battants de la porte violemment poussé par le vent ; un fragment de vitre le blesse entre les sourcils ; le sang coule.

Mme Saint-Ybars a poussé un cri ; elle se jette au-devant de Mamrie. Mais Mamrie la voit venir ; elle comprend qu'elle n'aura pas le temps d'attaquer Saint-Ybars corps à corps. Elle change subitement de tactique, recule obliquement de trois pas, élargit sa base de sustentation, et lance sa hache à la tête de Saint-Ybars. Un cri d'épouvante sort de toutes les poitrines ; M. de Lauzun seul n'a pas fait entendre sa voix ; il est pâle comme un moribond, il est sur le point de perdre connaissance. Le tranchant de la hache a passé comme un éclair devant les yeux de Saint-Ybars, et est allé s'enfoncer dans un magnolia de la cour.

Stupéfait, la bouche béante, Saint-Ybars regarde Mamrie ; chacun se demande ce qu'il va faire. Son bras gauche est tendu comme une barre de fer ; ses doigts crispés tiennent toujours la chemise de Démon. Mme Saint-Ybars, avec une grande présence d'esprit,

---

[2] Tuer mon petit ! s'écrie Mamrie, qui est le scélérat qui ose faire ça ?

[3] Qui tue mon petit ?

[4] Lâchez mon petit, dit-elle ; si vous ne le lâchez pas, aussi vrai qu'on m'appelle Mamrie, je vous fendrai la tête.

profite de ce temps d'arrêt. Comme beaucoup de mères de famille, elle porte toujours des ciseaux suspendus à sa ceinture ; elle coupe la chemise de Démon entre son cou et le poing de son père.

« Échappe-toi ! » dit-elle tout bas.

Démon a disparu. Son père se retourne ; sa physionomie change ; il ressemble à un homme à moitié réveillé, qui est encore en face des images d'un rêve horrible. Enfin, il se recueille, ressaisit ses pensées, ordonne à M. de Lauzun d'appeler Sémiramis. La terrible vieille accourt avec son inséparable baleine ; son fils, le bon Salvador, instruit de ce qui vient de se passer, la suit, navré de chagrin.

« Alà moin[5], dit Sémiramis.

— Mettez cette femme aux ceps », dit Saint-Ybars en montrant Mamrie.

Sémiramis saisit Mamrie par le bras :

« To marché drette[6], ou sinon... dit-elle de sa voix rauque et en agitant sa baleine.

— Vou pa besoin serré moin comme ça, remarque Mamrie ; ma marché san ça, mo pa envie parti couri marron. Mo connin ça mo mérité ; la mor pa fé moin peur[7]. »

Un des pigeonniers de la cour, solidement bâti en briques, contenait une chambre qui par occasion servait de prison. Un bloc en bois de chêne, percé de deux trous, était fixé au plancher ; il se composait de deux parties, l'une posée sur l'autre, la partie supérieure étant mobile et à charnière. Sémiramis, ayant soulevé la partie supérieure du bloc, ordonna à Mamrie de s'asseoir sur le plancher, d'allonger ses jambes et de les poser sur les demi-lunes de la moitié inférieure. Cela fait, elle rabattit la moitié supérieure, et

---

[5] Me voilà !

[6] Marche tout droit.

[7] Vous n'avez pas besoin de me serrer comme ça, remarque Mamrie ; j'irai sans ça ; je n'ai pas envie de partir marronne. Je sais ce que je mérite ; la mort ne me fait pas peur.

l'immobilisa sur l'autre au moyen d'un cadenas qu'elle ferma à double tour.

« Asteur, dit-elle, to gagnin tou plin tan pou zonglé, jisca jour là yé pende toi[8]. » Mamrie ne répondit pas. Sémiramis referma la porte du pigeonnier, laissant la prisonnière à ses réflexions

---

[8] Maintenant, dit-elle, tu as tout le temps pour penser ; jusqu'au jour où on te pendra.

XIX
La Fuite

Nogolka entraîna Pélasge dehors ; Mme Saint-Ybars, ses filles, ses brus, les maris des unes et des autres, quittèrent la salle à manger. Mlle Pulchérie resta seule avec Saint-Ybars.

« Allons, cousin, dit-elle, remettez-vous à table, vous êtes bien bon de faire tant de mauvais sang pour un enfant qui désobéit et une esclave qui se révolte ; vous ne manquez pas de moyens pour ramener l'un et l'autre à la raison. »

Saint-Ybars reprit son siège, mais ne mangea pas. Mlle Pulchérie acheva son repas, sans pouvoir arracher une parole à son cousin. Elle se retira, en haussant les épaules. Les domestiques disparurent sans bruit, comme des ombres. Il pleuvait à torrents ; la foudre gronda sans discontinuer pendant cinquante-cinq minutes. Les nuages commencèrent enfin à disparaître, les uns entièrement dissous, les autres chassés par le vent qui soufflait toujours avec violence. On avait fermé les portes et les fenêtres ; la maison tremblait ; les rugissements prolongés et plaintifs de l'ouragan pénétraient dans la demi-obscurité des appartements, par toutes les fentes et par les trous des serrures. Saint-Ybars écoutait la voix sinistre de la tempête ; il lui semblait, par moments, qu'elle articulait des menaces et des prophéties de malheur.

Nogolka conduisit Pélasge en haut, sur la galerie de devant, le plus loin possible de Saint-Ybars. Elle s'abrita avec lui derrière une colonne ; ses longs cheveux blancs tachés de sang, étaient soulevés par le vent et s'éparpillaient dans l'air comme l'écume du flot qui se brise contre un rocher. Dans la crainte que Pélasge ne lui échappât, elle le tenait encore par le cou et la main.

Dans tout ce fracas physique et moral, au milieu même de la combinaison de la colère de Saint-Ybars avec la fureur de l'ouragan, Nogolka avait eu un instant de bonheur ; elle avait protégé celui qu'elle aimait, elle l'avait serré contre sa poitrine, sa figure avait touché la sienne, elle avait mêlé son souffle avec le sien. – Ô cœur humain, que d'étranges secrets dans tes abîmes ! – Nogolka avait senti, pour la première fois, ce que quelques secondes fugitives peuvent apporter d'émotion profonde, de ravissement délicieux à une âme pure et aimante comme la sienne. Elle ne s'était pas aperçue du coup de baleine de Saint-Ybars ; elle ne savait pas qu'elle était blessée, que son sang avait coulé ; elle était heureuse ; elle ne se demandait pas encore si l'altercation entre Pélasge et Saint-Ybars n'aurait pas de suites ; non, elle n'y pensait pas, elle regardait l'ouragan, elle souriait.

Le vent, soufflant d'abord en ligne droite, avait couché presque toutes les barrières. Ensuite, il s'était mis à tourbillonner. Le feuillage des chênes de l'avenue s'agitait dans tous les sens, comme une crinière de lion furieux ; il en sortait un mugissement entrecoupé de craquements ; d'énormes branches tombaient, arrachant et entraînant d'autres branches. L'avenue était jonchée de débris, comme si l'on avait fait un abattis pour barrer le passage.

Toute la nuit le fleuve avait charrié des arbres arrachés à ses rives. Dès le petit jour, l'économe avait détaché vingt-cinq hommes pour saisir ce bois au passage. Ils étaient occupés à ce travail, quand les approches de l'ouragan les forcèrent à se mettre à l'abri, sous le hangar du wharf.

Nogolka, tranquillisée, rendit enfin à Pélasge la liberté de ses mouvements. Ils commencèrent à échanger des réflexions sur l'épouvantable scène qui venait d'avoir lieu, et sur le sort probable réservé à Mamrie. Pélasge s'arrêta au milieu d'une phrase : il lui semblait entendre, malgré le tapage des arbres, des clameurs dans le lointain. Nogolka écouta aussi. Des cris arrivèrent distinctement jusqu'à eux. Ils aperçurent plusieurs nègres qui venaient du fleuve, en courant et en donnant des signes d'alarme. Salvador, qui causait avec sa mère sur la galerie d'en bas, alla au-devant des nègres, pour s'informer de ce qui se passait. On lui raconta que Démon s'était emparé du petit esquif, pour traverser le fleuve ; que surpris par le coup de vent, et emporté tantôt par le courant, tantôt par les contre-courants, tout ce qu'il pouvait faire maintenant était de lutter encore un peu contre les grosses vagues qui l'enveloppaient de toutes parts, et qui, infailliblement, allaient l'engloutir.

Aux cris des nègres, Saint-Ybars avait ouvert une porte. Salvador lui annonça l'affreuse nouvelle.

« Mon enfant est perdu, et j'en suis la cause, s'écria Saint-Ybars désespéré ; c'est Dieu qui me punit.

— Allons, Saint-Ybars, dit Salvador, laissez-là cette idée malheureuse d'un Dieu se vengeant du père sur le fils innocent. Allons, soyons des hommes ; volons au secours de l'enfant.

— Tu as raison, Salvador ; fais seller Castor et Pollux. »

Castor et Pollux étaient les deux meilleurs chevaux de l'habitation. En quelques minutes, ils furent prêts. Saint-Ybars et Salvador prirent le chemin des charrettes. Peu après eux, un tilbury emportait Pélasge et Sémiramis.

Mme Saint-Ybars avait une sœur veuve, dont l'habitation était située de l'autre côté du fleuve. Cette dame avait toujours témoigné une grande affection aux enfants de Saint-Ybars, surtout à Démon et à Chant-d'Oisel. Démon, dans son désespoir et son humiliation, avait résolu de fuir pour toujours la maison paternelle, et de demander un asile à sa tante. Il avait sauté dans un petit esquif fait pour être manœuvré par un seul homme, et, sans s'inquiéter de l'état du temps, il avait gagné le large.

La pluie ayant cessé, les nègres chargés d'arrêter les bois de dérive, étaient revenus sur la levée ; mais il ne fallait pas songer à reprendre l'ouvrage. Le vent soufflait toujours avec force ; le fleuve, soulevé comme une mer intérieure, déferlait en vagues énormes et rapides ; ses rives étaient frangées d'une écume qui jaillissait plus haut que la levée. Sous la triple impulsion du vent, du courant et des remous, les flots s'entrechoquaient et s'enchevêtraient les uns dans les autres. Les bois de dérive bondissaient comme les pièces d'un radeau disloqué, ceux-ci entraînés par le courant central, ceux-là rebroussant chemin dans les contre-courants, d'autres pivotant comme des roues horizontales.

Les nègres regardaient avec terreur l'esquif de Démon, s'attendant à chaque instant à le voir sombrer.

Tout jeune qu'était Démon, et malgré la vivacité de son caractère, il avait du sang-froid. Seul, aux prises avec un danger compliqué, il lui opposait une résistance raisonnée et énergique ; il ne pensait pas à la mort ; il venait d'être *baleiné* comme un esclave, il était humilié, déshonoré, il fuyait pour cacher sa honte ; il n'avait qu'une idée, mettre ce grand fleuve entre lui et l'habitation de son père.

Les nègres tressaillirent à la voix de Saint-Ybars.

« Misérables ! s'écria leur maître ; vous êtes là comme des bûches ; vous n'allez pas au secours de mon fils ! »

Et il donna l'ordre que quatre d'entre eux descendissent dans un canot. Pour eux c'était aller à une mort certaine ; leur maître, se dirent-ils, n'avait pas le droit d'exiger cela d'eux ; ils s'enfuirent.

« Ne perdons pas de temps, dit Salvador ; nous pouvons nous passer de ces capons. »

Ils entrèrent dans un esquif à deux avirons ; Saint-Ybars saisit le gouvernail, Salvador rama.

Les nuages étaient revenus, ils passaient par groupes serrés ; malgré leur masse compacte, ils filaient rapidement vers le nord. L'air était chaud, le jour sombre, l'eau d'un jaune sale.

La sueur ruisselait sur la figure de Salvador ; sa chemise était collée à son corps.

« Saint-Ybars, dit-il, coupez ma chemise, elle me gêne. »

En quelques coups de canif, Saint-Ybars débarrassa Salvador. Alors, celui-ci rama avec un surcroît de vigueur ; il luttait contre un contre-courant, qui menaçait de le rejeter bien loin de Démon.

Le soleil, complètement voilé jusque-là, passa entre deux amas de nuages, et tomba en plein sur le buste cuivré de Salvador. La lumière dans la tempête, c'est l'espérance. Saint-Ybars sentit son cœur bondir de joie.

« Courage, Salvador, s'écria-t-il, courage ! nous approchons. Salvador, sauvons mon enfant ; sinon, je ne rentrerai pas à la maison ; le fleuve emportera aussi mon corps privé de vie.

— Nous le sauverons », répondit Salvador avec le calme de la confiance.

Malheureusement, le canot était retardé par les bois de dérive ; pour les éviter, Saint-Ybars était obligé de naviguer tantôt à droite tantôt à gauche.

Un sycomore tout entier, flottant transversalement, arrivait sur Démon. Saint-Ybars vit le danger, et frémit. L'arbre était le plus long et le plus gros de cette espèce qu'il eût jamais vu. Non seulement le sycomore roulait sur lui-même, mais il exécutait un mouvement de bascule qui faisait monter alternativement ses branches et ses racines.

Saint-Ybars signala le péril à Salvador.

Les deux canots étaient à peu près sur la même ligne, celui de Démon cependant un peu en amont.

Le tronc du sycomore approchait, lentement en apparence, mais avec une puissance redoutable ; d'un côté les racines, de l'autre les branches tournaient, moitié dans l'air moitié dans l'eau, comme deux grandes roues hydrauliques.

Salvador, mesurant d'un coup d'œil la distance qui les séparait de Démon, dit à Saint-Ybars :

« Criez-lui de naviguer vers nous.

— Démon, mon enfant, cria Saint-Ybars, navigue vers nous, viens. »

Démon entendit ; mais il secoua la tête, et rama en désespéré.

Saint-Ybars cria de nouveau.

« Laissez-moi, répondit l'enfant, laissez-moi ; je veux m'en aller. »

Le sycomore arrivait, majestueux dans sa masse, impitoyable dans sa force. Ses racines sortaient de l'eau, du côté de Démon, et montaient dans l'air comme des griffes gigantesques et menaçantes.

Les nègres, ramenés par cette curiosité fébrile que provoque le spectacle du danger, s'étaient groupés sur le rivage et regardaient. Pélasge courut à eux, et les engagea, en leur montrant la chaloupe attachée près du wharf, à venir avec lui au secours des deux canots. Ils restèrent impassibles.

Sémiramis, à son tour, parut sur la levée ; elle entendit les vaines supplications de Pélasge. Elle arriva sur les nègres comme la foudre. Avant qu'ils eussent le temps de se reconnaître, elle en saisit un au collet, et le frappant, coup sur coup, de sa terrible baleine, elle le poussa vers la chaloupe.

« Canaille ! capon sans pareil ! ma fé vouzot marché, moin[1] », cria-t-elle.

Un jeune nègre sur qui elle se précipitait, tendit les bras pour parer les coups.

« Man Miramis, dit-il tremblant et effaré, pa taillé moin ! ma obéi[2].

— Ta obéi encor mieu avé ça[3] », répliqua la vieille en lui appliquant un coup qui le fit hurler de douleur.

Le jeune nègre sauta dans la chaloupe.

Quatre autres nègres s'empressèrent de rejoindre les deux premiers.

Sémiramis entra dans la chaloupe. Pélasge prit la barre.

En quelques secondes six avirons plongeaient dans l'eau, et l'embarcation s'éloignait. Chaque fois que la proue fendait une vague, une pluie d'écume arrosait les nègres. Alors, la voix impérieuse et rauque de Sémiramis criait :

« Hardi là ! ramin, ramin for[4] ! »

Il s'agissait pour la vieille négresse de sauver d'abord son fils, ensuite Saint-Ybars le chef d'une grande famille et son enfant. De temps en temps elle se levait pour mieux voir. Salvador la reconnut. Le courage et le dévouement de sa vieille mère agirent sur lui comme un cordial. Malgré tous les efforts qu'il avait déjà faits, il rama avec plus d'énergie. Saint-Ybars s'en réjouit. Ils approchaient.

---

[1] Canaille ! capon sans pareil ! je vous ferai marcher, moi...

[2] Man Miramis, dit-il tremblant et effaré, ne me fouette pas ! j'obéirai.

[3] Tu obéiras encore mieux avec ça.

[4] Ramez, ramez fort !

Il n'y avait plus qu'une chose à faire, c'était que Démon se laissât dériver : on le recueillait, et tous trois ensemble on fuyait le sycomore. Mais Démon, dans son chagrin désespéré, ne voulait pas cela ; il eût préféré cacher sa honte au fond du Mississippi. Il redoubla de vigueur, lui aussi. Il n'avait plus que quelques coups d'aviron à donner, pour sortir du courant central, lorsqu'une grosse vague souleva son esquif comme une plume. Quand elle s'abaissa, l'esquif continua de monter dans l'air ; il était pris dans les racines du sycomore.

Démon ne perdit pas sa présence d'esprit : s'il restait dans l'esquif, ou celui-ci l'entraînait sous l'eau, ou ils étaient précipités ensemble, en tournant, d'une hauteur de sept à huit mètres, au risque pour Démon de se fracturer un membre. Il sortit de l'embarcation, se mit à califourchon sur une des branches de la racine, et gagna rapidement l'extrémité. Là, il attendit. Le mouvement rotatoire du sycomore s'arrêta ; mais le mouvement de bascule continuait ; Démon était alternativement soulevé dans l'air et plongé dans l'eau. Salvador sortit enfin du courant central, et entra dans un contre-courant qui le poussait vers Démon.

L'arbre se remit à tourner. L'esquif et les avirons tombèrent avec fracas ; Démon montait dans l'air comme un brin de paille collé à une roue.

Saint-Ybars frémit.

« Démon, mon fils, mon enfant chéri, cria-t-il, je t'en supplie, jette-toi à la nage, viens à nous. »

L'enfant ne dit rien ! le sycomore roulait toujours.

Saint-Ybars s'agenouilla sur le bord du canot, et joignant les mains :

« Démon ! Démon ! dit-il, je te le demande à genoux. »

L'enfant ne s'obstina plus, son cœur était touché. Il s'accroupit, tendit les jarrets, s'élança et glissa à la surface de l'eau. Il était robuste et nageait bien.

Au moment où Démon se jetait à l'eau, la voix de Sémiramis parvint jusqu'à Saint-Ybars et Salvador. Elle excitait toujours les rameurs ; mais ils n'avaient plus besoin de l'être ; le moment de la peur était passé. L'un d'eux entonna un chant de travailleurs ; ses camarades répondirent en chœur. Ces hommes, tout à l'heure si pusillanimes, étaient maintenant fiers d'être aux prises avec le danger ; dans leur mépris exalté de la mort, ils déployèrent une vigueur prodigieuse.

Démon n'était plus séparé que par trois vagues du canot de son père, lorsqu'il se sentit arrêté par une force qui le poussait en arrière et le tirait en bas ; ses mouvements se ralentirent, il commença à tourner. Saint-Ybars poussa un cri.

« Il est dans un remous ! » dit-il.

Ôter sa redingote et ses bottes, et se jeter à l'eau, ce fut pour le père l'affaire de deux secondes. Le tourbillon dans lequel était Démon le ramenait vers le courant du milieu. Saint-Ybars, soulevé par une vague, vit son fils tourner comme une toupie et disparaître. Il plongea. Salvador cessa de ramer ; il ne se servait plus de ses avirons que pour se maintenir dans une bonne position. Il eut un moment d'horrible anxiété ; il regardait partout, et ne voyait que l'eau montant et retombant tumultueusement. Tout à coup il s'entendit appeler ; il se retourna et vit Saint-Ybars tenant Démon d'une main, nageant de l'autre.

Le père, pour ramener son fils du gouffre, avait épuisé ses forces.

« Salvador, cria-t-il, sauve l'enfant ; fais mes adieux à la famille.

— Démon, cher enfant, ajouta-t-il à demi-voix, pardonne à ton père, embrasse-moi ; nous allons nous séparer.

— Mon père, répondit Démon, un fils n'a pas à pardonner ; il aime son père, il oublie ; je veux mourir avec vous.

— Démon, obéis, reprit Saint-Ybars d'une voix haletante, songe à ta mère, à tes frères, à tes sœurs. »

Il n'en put dire davantage, il enfonçait, il étouffait ; il saisit Démon des deux mains et leva les bras, pour le tenir au-dessus de l'eau. Il nageait encore des pieds, pour descendre aussi lentement que possible, afin de donner à Salvador le temps de venir.

Au cri de Saint-Ybars, Salvador s'était précipité dans le fleuve. Il nageait comme un phoque. Démon, lâché par son père, avait à peine assez de force pour se maintenir à la surface. Salvador le saisit à temps, et le mit à cheval sur ses reins. À peine cela était-il fait, qu'ils entendirent un choc violent ; une grosse vague qui était devant eux, s'entr'ouvrit en écumant, la chaloupe bondit à leur rencontre.

Salvador, gardant toujours son sang-froid, cria :

« Que chacun reste à son poste. »

Il saisit la lisse de sa main de fer, et dit à Démon :

« Peux-tu entrer tout seul ?

— Oui.

— Entre. »

Démon entra.

« Maintenant, ajouta Salvador, regardez partout. »

Saint-Ybars avait essayé, dans un suprême effort, de remonter à la surface. Ses mains et la moitié de ses bras s'agitèrent hors de l'eau ; ses mouvements étaient moins ceux d'un nageur que d'un agonisant.

« Hourra ! cria un nègre, alà li, là, là[5] !

— Je vois, dit Salvador ; suivez-moi. »

Avant qu'il eût franchi la moitié de la distance qui le séparait de Saint-Ybars, celui-ci était saisi par le courant central et dérivait rapidement. Salvador entra, lui aussi, dans le grand courant. Il coupait l'eau avec tant de vigueur et filait avec tant de vitesse, que personne ne douta plus du salut de Saint-Ybars. Sémiramis regardait son fils avec fierté. On ne voyait plus que les mains de Saint-Ybars ; à leur tour, elles disparurent : Salvador plongea.

Sémiramis donna l'ordre à deux rameurs de rentrer leurs avirons, et de la tenir debout sur leur banc ; elle dit aux autres de dériver doucement. Elle avait confiance en son fils ; elle connaissait sa vigueur et son sang-froid. Mais les forces de l'homme le plus robuste s'épuisent ; la puissance de l'eau reste la même, infatigable, inexorable. Il y eut un moment de cruelle attente, et qui parut bien long à la vieille mère. Elle n'en laissa rien paraître ; si elle savait

---

[5] Le voilà, là, là !

commander aux autres, elle savait encore mieux se commander à elle-même.

Une échappée de soleil éclairait l'eau entre la chaloupe et la rive gauche. Sémiramis vit le buste de son fils surgir dans la zone de lumière ; à côté de la figure bronzée de Salvador, apparut la figure pâle de Saint-Ybars.

Sémiramis descendit, en disant :

« Alà yé[6] ! »

Et s'adressant à Pélasge :

« Monsieur Pélasge, ajouta-t-elle, vous voyez où c'est éclairé là-bas ?

— Oui, man Miramis.

— Ils sont là, dépêchons-nous. »

Tous les rameurs comprirent la nécessité de ne pas perdre une seconde ; la chaloupe avança comme une mouette qui vole en rasant les flots. Elle entra en étincelant dans la zone lumineuse. Il en était temps, les forces de Salvador l'abandonnaient. Au commandement de Sémiramis, un nègre le saisit, un autre prit Saint-Ybars. Salvador fit une petite pause pour respirer ; puis, il entra dans la chaloupe. Saint-Ybars, privé de connaissance, fut couché sur le dos. Démon, le croyant mort, se pencha sur lui en sanglotant et couvrit son visage de baisers. Pélasge donna la barre à Salvador, pour s'occuper de Saint-Ybars. Il posa sa main sur la poitrine du noyé :

« Son cœur bat encore, dit-il ; courage, Démon ! nous ramènerons votre père à la vie. Ne pleurez plus, aidez-moi. »

Pélasge savait ce qu'il y a à faire en cas d'asphyxie par submersion ; il se mit immédiatement à la besogne, en recommandant toutefois que l'on regagnât le rivage le plus promptement possible.

La voix rude et impérieuse de Sémiramis s'éleva :

---

[6] Les voilà !

« Zot tendé ? dit-elle aux rameurs, cé pa tan pou zonglé, non ! ramin, ramin, ramin ! can nou rivé, chakenne a gagnin ain bon cou ouiski[7]. »

Toute la famille Saint-Ybars et quelques étrangers attendaient sur le wharf. Quand on vit Pélasge agiter son mouchoir en signe de triomphe, des clameurs de joie lui répondirent.

Au moment où la chaloupe abordait, le sycomore disparaissait dans le lointain.

[7] Vous entendez ? dit-elle aux rameurs, ce n'est pas le moment de penser, non ! ramez, ramez, ramez ! quand nous serons arrivés, chacun aura un bon coup de whisky.

XX
Repentir et Réconciliation

Quand Saint-Ybars reprit ses sens, il était dans le pavillon du wharf ; tous les membres de la famille l'entouraient. L'ouragan était passé ; tout était tranquille ; on n'entendait que le clapotement ordinaire de l'eau sous le wharf. Parmi les personnes présentes était le médecin de l'habitation ; il recommanda à Saint-Ybars de ne pas parler, et il lui fit prendre toutes les dix minutes une cuillerée de vin de Madère.

Huit esclaves, mis à la disposition du médecin, attendaient ses ordres. Saint-Ybars avait été placé sur un lit de repos. Deux traverses furent passées sous la couchette, et quatre nègres l'enlevèrent ; les quatre autres suivirent, pour relayer leurs camarades. Toute la famille suivit la civière, à pied, silencieuse, recueillie. Démon, pansé par le médecin, portait un bandeau ; il tenait sa mère par la main. À côté de lui marchait Chant-d'Oisel. Il avait l'air grave et pensif ; sa sœur était abattue, ses yeux portaient encore la trace de ses larmes.

À quelque distance, derrière le cortège des parents, Nogolka et Pélasge marchaient ensemble, lui calme et réfléchi comme toujours, elle horriblement triste.

La grande avenue étant encombrée de débris, on prit le chemin des charrettes. Au moment d'arriver, Pélasge parlant à voix basse, demanda à Nogolka ce qu'elle pensait de l'affreuse journée qui finissait.

« J'ai de bien noirs pressentiments, répondit-elle ; le malheur est entré aujourd'hui dans cette maison ; je crois qu'il n'est pas près d'en sortir. »

Dans la soirée, Saint-Ybars fit appeler Pélasge, et lui dit en présence de sa famille :

« On m'a appris, Monsieur, tout ce que vous aviez fait pour nous sauver, mon fils et moi ; je vous en remercie du plus profond de mon cœur. Je regrette infiniment de vous avoir offensé ce matin ; faites-moi l'honneur, je vous prie, d'agréer mes excuses. »

Pélasge serra la main que Saint-Ybars lui tendait, et répondit :

« Tout est oublié, Monsieur. »

XXI
Condamnation de Mamrie

Le surlendemain, dès six heures du matin, l'économe, Mlle Pulchérie et Sémiramis délibéraient avec Saint-Ybars sur ce qu'il y avait à faire au sujet de Mamrie. Saint-Ybars penchait vers la clémence. L'économe était d'une opinion contraire. Depuis quelque temps, assurait-il, on remarquait un certain esprit d'insubordination parmi les esclaves ; il avait ramassé lui-même, dans le voisinage du camp, une de ces brochures que les émissaires de l'abolitionnisme faisaient circuler secrètement sur les habitations ; les nègres savaient toujours trouver quelqu'un pour leur lire ces écrits incendiaires ; il fallait faire un exemple ; Mamrie étant une esclave de prix, il ne fallait pas la livrer à la justice de la cour criminelle ; il valait mieux lui infliger un châtiment sévère, en présence des nègres.

Mlle Pulchérie partagea l'avis de l'économe.

Quand ce fut le tour de Sémiramis de parler :

« Ni clémence ni demi-mesure, dit-elle ; on est maître ou on ne l'est pas : quand on est maître, il faut être respecté à tout prix. Il n'y a pas deux manières de *régner* ; il faut que ceux qui sont nés pour obéir, tremblent devant celui qui commande. Mamrie a levé la main sur son maître ; elle mérite la mort : qu'on l'envoie à la potence. »

L'avis de l'économe prévalut.

Le duc de Lauzun était un petit Monsieur qui écoutait aux portes. Il se fit gloire d'annoncer le premier aux gens de la maison qu'à midi Mamrie serait fouettée d'importance, dans la cour des magnolias, en présence de tous les esclaves.

Fouetter Mamrie !... à cette nouvelle tous les cœurs se serrèrent. Chant-d'Oisel éclata en sanglots ; Démon pâlit et resta muet. Mme Saint-Ybars, ses fils, ses filles, ses gendres et ses brus allèrent supplier Saint-Ybars de faire grâce à la nourrice de ses deux derniers enfants, ou du moins de se borner à la punir d'un emprisonnement plus ou moins prolongé. Malheureusement, l'idée systématique qu'il fallait, de toute nécessité, frapper l'esprit des esclaves par un châtiment qui parlât à leurs yeux, avait pénétré dans le cerveau de Saint-Ybars pour n'en plus sortir. Il fut inexorable. Alors, un lugubre silence se fit dans toute la maison ; on n'entendait que les pas des domestiques qui allaient et venaient pour les besoins du service. La cloche du déjeuner sonna vainement. Mme Saint-Ybars seule, obéissant à son devoir de maîtresse de maison, descendit ; elle, son mari et Mlle Pulchérie s'assirent à cette grande table naguère si animée et si gaie, maintenant dégarnie et muette. Saint-Ybars fut amèrement mortifié ; chaque place inoccupée était une voix qui le désapprouvait.

M. Héhé entra en sautillant.

« Qu'entends-je ? dit-il ; M. de Lauzun m'a-t-il dit vrai ? on fouette Mamrie.

— C'est positif, répondit Mlle Pulchérie.

— C'est bien fait, Mademoiselle ; elle payera une fois pour toutes ; elle devenait d'une insolence insupportable. »

À midi la cour des magnolias ressemblait à une place d'exécution. Les esclaves, hommes, femmes et enfants étaient rangés comme des soldats. L'économe, son fusil sur l'épaule, passait et repassait devant eux.

Une échelle inclinée sur le tronc d'un magnolia, était solidement fixée par une corde. Sur cette échelle Mamrie allait être attachée à plat ventre, nue des talons à la ceinture. L'ordre donné était de lui appliquer vingt-cinq coups de fouet. L'homme choisi pour cette besogne, était un nègre connu pour sa vigueur et son adresse ; il se nommait Jim. Debout, au pied de l'échelle, son fouet attaché en bandoulière, d'une main il tenait un paquet de cordes, de l'autre il se grattait négligemment la tête.

Saint-Ybars, Mlle Pulchérie, Sémiramis, M. de Lauzun et M. Héhé étaient dans la salle à manger.

Les fils et les gendres de Saint-Ybars s'étaient tous éloignés de la maison. Les dames avaient fait fermer les portes et les fenêtres, et elles s'étaient réunies dans la pièce la plus retirée. Chant-d'Oisel, désolée et indignée, à genoux sur le plancher, cachait sa tête, en criant, dans le giron de sa mère qui, elle, pleurait sans bruit.

Où était Démon ?... personne ne l'avait vu depuis une heure.

Pélasge était dans sa chambre. Debout devant sa table de travail, il avait les yeux fixés sur le voile de Nogolka ; mais ce n'était pas à elle qu'il pensait ; il regardait machinalement ce voile et pensait à Mamrie : il se demandait encore, au dernier moment, s'il n'y aurait pas un moyen de la sauver.

On n'attendait plus, dans la cour, que la victime ; c'était Sémiramis qui devait l'amener.

Une porte s'ouvrit au rez-de-chaussée. On crut que c'était Saint-Ybars qui venait donner le signal de l'exécution. Au lieu de lui on vit Démon. Il s'approcha de l'exécuteur, et dit à demi-voix :

« Jim, rappelle-toi bien ce que je te dis : je serai sur la galerie d'en haut ; si tu as le malheur de donner un seul coup de fouet à Mamrie, tu es mort. »

À peine Démon était-il rentré, laissant l'exécuteur consterné, que la porte cintrée de la salle à manger s'ouvrait, pour laisser passer Saint-Ybars, Mlle Pulchérie, M. Héhé et le duc de Lauzun. Un peu après Sémiramis parut, tenant Mamrie par le bras. Mamrie ne savait rien du châtiment qui lui était réservé. Elle avait cru jusque-là qu'elle serait livrée à la justice régulière, et qu'elle expierait son crime sur l'échafaud. À la vue de l'échelle et du fouet, elle comprit tout. Elle poussa un cri déchirant, et joignant les mains elle dit à Saint-Ybars d'une voix douce et sur le ton du reproche :

« Ah ! maite, vou pa juste ; mo mérité la mor, é vapé désonoré moin. Non, maite, pa fé ça ; pa fé taillé moin comme ça divan tou moune, comme ain voleuse. Vou riche, maite ; ain nesclave de moin ça pa fé arien pou vou ; fleuve pa loin : comandé moin, ma parti couri néyé moin laddan tou suite[1]. »

---

[1] Ah ! maître, vous n'êtes pas juste ; je mérite la mort, et vous allez me déshonorer : non, maître, ne faites pas ça ; ne me faites pas fouetter comme ça devant tout le monde, comme une voleuse. Vous êtes riche, maître ; une esclave de moins, ça ne vous ferait rien ; le fleuve n'est pas loin ; commandez-moi, j'irai me noyer là-dedans tout de suite.

Saint-Ybars demeura sombre, inflexible.

« Anon, assé jacacé comme ça[2] », dit Sémiramis en poussant Mamrie vers l'échelle.

Jim leva les yeux du côté de la galerie. Entre une colonne et un rideau, dans l'ombre d'une fente, il vit luire un fusil à deux coups. Il ne bougea plus.

« Ebin ! to paralizé don, lui cria Sémiramis ; ça ta pé attanne pou comancé to louvrage[3] ? »

Jim roula de gros yeux blancs, et regarda sournoisement dans la direction de la galerie. Il vit les deux canons s'abaisser ; ils lui parurent gros comme des cheminées de bateau à vapeur. Il s'avança tout tremblant vers Saint-Ybars, et lui dit :

« Maite, mo pa capab fé kichoge comme ça ; mo ain nomme tro comifo pou taillé Mamrie[4]. »

Saint-Ybars furieux fit d'effroyables menaces ; mais elles produisirent moins d'effet que le fusil de Démon.

L'économe accourut, appuya son fusil à un arbre, et prit le fouet de Jim, en disant :

« Attends ; je vais t'apprendre à obéir, moi. »

Mais Jim n'attendit pas ; il s'échappa en courant à toutes jambes. Alors, l'économe, le remplaçant, saisit Mamrie pour l'attacher. En même temps on entendit un bruit strident ; c'était un des rideaux de la galerie qui s'écartait, en glissant sur sa tringle. Tous les regards se portèrent de ce côté : Démon était l'attitude du chasseur qui va épauler son fusil.

Les clameurs furibondes de Saint-Ybars avaient retenti jusque dans la chambre ou les dames s'étaient réfugiées. Mme Saint-Ybars comprit immédiatement qu'il se passait quelque chose

---

[2] Allons, tu as assez jacassé comme ça.

[3] Eh bien, tu es paralysé donc, lui cria Sémiramis ; qu'est-ce que tu attends pour commencer ton travail ?

[4] Maître, je ne suis pas capable de faire quelque chose comme ça ; je suis un homme trop comme il faut (civilisé) pour fouetter Mamrie.

d'extraordinaire : elle courut sur la galerie. Deux de ses filles la suivirent. Elles arrivèrent juste à temps pour entendre Démon criant à l'économe :

« Arrêtez, misérable ! sinon, je vous tue, comme j'aurais tué Jim. »

Mme Saint-Ybars et ses filles se précipitèrent sur Démon, pour lui arracher son arme. Il se défendit avec acharnement. Les gâchettes se prirent dans la robe de Mme Saint-Ybars, les deux coups partirent ; heureusement les balles passèrent entre les deux sœurs de Démon, et s'enfoncèrent dans le mur. Les trois femmes s'emparèrent alors de lui, et l'emmenèrent malgré ses cris.

Au bruit de la détonation, Pélasge était accouru sur la galerie ; il y rencontra Nogolka.

L'économe avait rattrapé Jim, et l'avait ramené. Maintenant, libre de toute inquiétude, l'exécuteur préparait tranquillement sa corde pour attacher Mamrie.

Pélasge s'approcha de Nogolka, et dit en montrant Saint-Ybars :

« Et vous, Mademoiselle, ne ferez-vous pas un dernier effort pour épargner à Mamrie la douleur et la honte de ce supplice, et à cet homme fou d'entêtement des remords qui empoisonneraient son avenir ? Tout le monde ici vous bénira, moi plus que les autres. Sauvez Mamrie, vous qui pouvez tout sur ce forcené.

— Moi, qui puis tout ? demanda Nogolka surprise et inquiète.

— Vous qui pouvez tout ! » répéta Pélasge.

Et baissant la voix :

« J'étais sous le sachem, continua-t-il ; j'allais à votre secours, la chouette me devança. »

Nogolka rougit, puis pâlit ; elle vacilla ; Pélasge lui prit le bras et la main pour la soutenir.

« Allons, du courage ! dit-il ! allez vous jeter aux pieds de cet homme en démence ; sauvez Mamrie ; faites-le pour la famille, faites-le pour moi. »

Ce *pour moi* fit tressaillir l'institutrice ; son cœur battit avec force, ses joues reprirent leurs couleurs, ses yeux brillèrent d'une flamme extraordinaire. Elle serra la main de Pélasge, et d'un pas résolu descendit dans la cour. Saint-Ybars, en la voyant venir, se troubla. L'émotion contenue de Nogolka la rendait plus belle que jamais. Elle s'approcha, et, sans rien perdre de sa dignité, s'agenouilla devant lui.

« Faites grâce à Mamrie, Monsieur, dit-elle ; vous grandirez dans l'estime et l'affection de tout le monde. On dira : “C'est un noble cœur ; il a eu pitié d'une malheureuse esclave égarée par son amour pour l'enfant qu'elle a nourri de son lait.” Monsieur, je vous en prie, accordez-moi le pardon de Mamrie. »

Le sentiment de la justice se réveilla chez Saint-Ybars. Il avait bien besoin de pardon, lui aussi. Il crut lire dans les yeux de Nogolka qu'elle lui pardonnait, s'il pardonnait à Mamrie.

Le silence de la cour était effrayant. Mamrie était debout sur l'avant-dernier degré de l'échelle ; d'une main elle cachait sa figure, de l'autre elle s'appuyait à l'un des montants. Jim déroulait sa corde.

Mamrie se retourna en entendant la voix de Nogolka ; elle descendit de l'échelle, et courut vers Saint-Ybars au moment où il relevait respectueusement Nogolka.

Jim s'avança pour reprendre Mamrie. Au regard que lui lança Saint-Ybars, il s'arrêta.

« Que fais-tu là ? » demanda Saint-Ybars.

Le malheureux nègre balbutia quelques excuses. Saint-Ybars lui coupa la parole, en lui disant d'une voix tonnante :

« Va-t-en ! »

Jim s'en alla bien vite. Saint-Ybars dit à Nogolka :

« Mademoiselle, emmenez Mamrie, je vous accorde sa grâce.

— Merci, Monsieur, merci mille fois », répondit Nogolka.

Mamrie, à son tour, voulut remercier Saint-Ybars ; mais à peine avait-elle prononcé quelques paroles, qu'elle se mit à sangloter. Nogolka l'emmena.

Saint-Ybars, d'une voix retentissante, appela M. de Lauzun. Le petit duc accourut, fléchissant sur ses jarrets comme un épagneul qui a peur.

« Mon fusil et ma gibecière », commanda Saint-Ybars.

M. le duc partit et revint avec une rapidité surprenante.

Saint-Ybars, son fusil sur l'épaule, traversa la cour, se dirigeant vers le bois. Les nègres s'écartèrent respectueusement sur son passage.

Pélasge rentra dans les appartements, en criant : « sauvée ! ».

Démon et Chant-d'Oisel coururent se jeter dans les bras de Mamrie. Ils la conduisirent dans la chambre de leur mère ; là elle fut comblée de caresses et consolée.

Pélasge descendit dans la cour, au moment où l'économe renvoyait les nègres à l'ouvrage. Il rencontra Sémiramis ; elle secouait son éternelle baleine, et paraissait mécontente.

« Monsieur, dit-elle, les blancs ne savent plus régner ; il faiblissent ; dans dix ans il n'y aura plus d'esclaves.

— Tant mieux », répondit Pélasge.

Sémiramis le regarda d'un air de pitié, et s'éloigna sans ajouter un mot.

Troisième partie

XXII
Après l'orage

Le calme se rétablit sur l'habitation Saint-Ybars. Les dégâts produits par l'ouragan furent bientôt réparés ; mais l'orage moral, qui avait troublé la paix de la famille, laissa des traces, surtout chez Démon. Il resta triste et taciturne ; il n'étudia plus avec la même ardeur, il devint de plus en plus indifférent à tout. Pélasge essaya vainement de le ranimer ; à toutes ses exhortations son élève répondait : « Je suis déshonoré ; je veux m'en aller. »

Pélasge, alarmé enfin de la mélancolie croissante de Démon, en causa longuement avec Vieumaite. « Croyez-moi, Monsieur, dit-il en se résumant, n'attendons pas davantage pour éloigner Démon ; il y aurait péril en la demeure. Tout ici rappelle à cette jeune âme la blessure qui lui a été faite ; plus Démon grandirait parmi nous, plus cette blessure s'élargirait. Il arriverait un moment où le ressort de la vie morale se romprait chez lui ; alors, tout serait perdu.

— Vous avez raison, répondit Vieumaite ; la déplorable journée du 21 septembre a laissé au front de Démon une cicatrice ineffaçable, et dans son âme un chagrin que l'éloignement et le temps seuls pourront adoucir. Il est urgent qu'il parte ; j'en parlerai à son père. »

Quinze jours après cet entretien, Démon s'embarquait à la Nouvelle-Orléans sur un clipper qui partait pour le Havre ; il allait achever ses études à Paris. Son père et Pélasge reçurent ses adieux sur le pont, au moment où on levait l'ancre.

Démon absent, on vit combien grande était la place qu'il occupait au foyer domestique ; on sentait autour de soi un vide énorme ; tous, excepté Mlle Pulchérie, trouvaient la maison aussi triste que si elle eût été tendue de deuil.

Le départ de Démon laissa Nogolka dans une situation pleine d'angoisses. Elle pensait, non sans raison, que Pélasge ne tarderait pas à quitter l'habitation : il n'attendrait certainement pas qu'on lui fit sentir que sa présence n'y était plus nécessaire ; il était trop fier pour cela. Lui parti, qu'allait-elle devenir ? Elle ne dormait presque plus ; le peu de sommeil qu'elle avait, était agité de mauvais rêves ; elle était distraite, les dates et les jours se confondaient dans son esprit ; elle donnait mal ses leçons à Chant-d'Oisel ; elle était mécontente d'elle-même.

Saint-Ybars croyait s'être réhabilité dans l'opinion de Nogolka, en pardonnant à Mamrie ; il se reprit à espérer. Mais Nogolka se maintint, devant lui, dans une attitude si glaciale que force lui fut de s'avouer qu'il poursuivait une chimère. Il sentit qu'après avoir été odieux, il devenait ridicule. Alors, sa fierté se révolta. Il résolut de mettre un terme à une situation qui torturait son cœur et blessait son amour-propre ; mais il se promit de le faire en gentilhomme. Il alla trouver son père, et lui avoua tout. Un homme a beau avoir atteint l'âge mûr, il est toujours un enfant pour son vieux père. La confiance de Saint-Ybars, ses regrets, sa douleur, ses larmes émurent Vieumaite ; le vieillard gronda son fils doucement, le plaignit, l'embrassa.

« Tu fais bien, lui dit-il, de rendre à Mlle Nogolka sa liberté ; pour nous autant que pour elle, il importe de mettre fin à une situation dont une circonstance imprévue pourrait compromettre le secret. Puisque tu le désires, je me charge de remercier Mlle Nogolka. En outre, tu veux que je lui donne ce portefeuille comme s'il venait de moi ; c'est le seul moyen, dis-tu, de lui faire accepter la gratification qui lui est due. Soit. Il m'en coûte beaucoup, je ne te le cache pas, de mentir même dans un but honorable ; rappelle-toi qu'en le faisant je vous donne, à toi et à ta famille, la plus grande preuve d'affection que tu puisses me demander. Va, fais dire à Mlle Nogolka que je désire lui parler. »

Dans l'après-midi une voiture s'arrêtait devant la maison de Vieumaite, et Nogolka en descendait. Vieumaite la reçut au salon.

« Mademoiselle, dit-il, je n'ai pas besoin de vous répéter combien je vous estime et vous suis attaché ; vous le savez bien, n'est-ce pas ? mais il importe de vous dire que mon respect et mon affection pour vous ont grandi depuis que je sais tout. Oui, Mademoiselle, mon malheureux fils m'a tout confessé. Il est bien à plaindre, ne le haïssez pas. Il reconnaît qu'il commet un acte de tyrannie, en vous privant de votre liberté ; reprenez-la, Mademoiselle. Vous désirez partir ; cela est juste, cela est nécessaire ; je vous approuve entièrement. La perte sera grande pour Chant-d'Oisel ; heureusement M. Pélasge voudra bien, je pense, vous remplacer pour la partie littéraire. Pour ce qui est de la musique, nous prierons nos amis de la Nouvelle-Orléans de nous aider dans la difficile tâche de trouver une personne possédant cet art à fond comme vous et sachant l'enseigner avec autant d'habileté.

« Vous m'avez toujours montré une affection vraiment filiale ; à mon tour, je tiens à vous donner une dernière preuve de mes sentiments. Prenez ce portefeuille. Il contient une petite fortune. C'est moins une récompense, qu'une rétribution largement méritée par vos cinq années de services aussi dévoués qu'intelligents. Allez, mon enfant ; retournez auprès de vos parents ; soyez heureuse, et pensez quelquefois à moi. »

Nogolka voulut remercier Vieumaite ; il l'interrompit d'un geste bienveillant, et lui baisa paternellement le front. Elle était atterrée : la perspective du départ de Pélasge l'avait tant fait souffrir, et c'était elle qui allait partir ! Elle était toute tremblante en remontant en voiture. Elle se sentait encore si bouleversée, au moment où elle passait dans l'avenue des chênes, qu'elle dit au cocher qu'elle voulait descendre et faire le reste du chemin à pied. Dans le jardin la pensée lui vint d'aller s'asseoir, pour se recueillir, sur un banc où elle s'était souvent assise quand elle désirait être seule. Elle vit, à travers un taillis, le banc occupé par deux personnes. Elle reconnut Pélasge et Chant-d'Oisel ; ils étaient penchés l'un vers l'autre, leurs cheveux se touchaient ; Pélasge tenait une petite main que Chant-d'Oisel ne cherchait pas à retirer. Le coup que Nogolka reçut au cœur, la fit chanceler ; elle s'éloigna en trébuchant comme une personne mortellement blessée. Elle alla cacher sa douleur dans sa chambre, où elle resta enfermée plusieurs heures.

XXIII
Départ de Nogolka

Le peu de jours que Nogolka eut encore à passer chez Saint-Ybars, pour faire ses préparatifs de départ, furent les plus pénibles de sa carrière d'institutrice. C'était elle en apparence qui prenait son congé. On interpréta sa conduite défavorablement ; on l'accusa d'avoir cherché sous main une meilleure place ; Mlle Pulchérie lui reprocha durement d'être fausse et ingrate. Le jour de son départ, elle ne vit autour d'elle que des visages froids et presque dédaigneux. Chant-d'Oisel seule resta la même jusqu'au bout. Elle soupçonnait la cause du départ de Nogolka ; peut-être même en était-elle sûre ; mais la pudeur et le respect filial commandaient la plus grande réserve.

Vieumaite et Chant-d'Oisel conduisirent Nogolka au bateau qui devait la transporter à Cincinnati. À la manière dont Chant-d'Oisel embrassa l'institutrice, au moment des adieux, et à quelques mots échappés de ses lèvres, il eût été évident même pour une personne moins clairvoyante que Nogolka, que la maîtresse laissait à son élève un souvenir pur de tout reproche. Elles échangèrent un dernier regard, un dernier serrement de mains dans lequel il y avait manifestement une protestation contre la nécessité qui les séparait.

Une chose fit plus de peine à Nogolka que tout le reste ; ce fut, en partant, de ne pas voir Pélasge. N'être pas aimée de lui était sans doute un grand malheur ; mais on n'est pas maître de son cœur, elle ne pouvait pas lui faire un crime d'aimer Chant-d'Oisel. Mais qu'il poussât l'indifférence jusqu'à n'être pas là pour recevoir ses adieux, c'était ce qu'elle ne pouvait comprendre. Elle aimait mieux croire qu'il en était empêché par quelque cause sérieuse. Mais que pouvait être cette cause ? elle ne la trouvait pas.

Pélasge se savait-il aimé de Nogolka ? il est possible qu'il l'ignorât encore, comme tout le monde sur l'habitation. Nogolka était naturellement réservée ; en outre, elle avait toujours eu un puissant motif pour cacher son secret, la crainte d'éveiller la jalousie de Saint-Ybars. N'importe ; il est difficile de croire qu'un homme observateur et pénétrant comme Pélasge, ne se doutât de rien.

Le bateau parti, Nogolka se retira dans sa cabine, où, pour combattre sa tristesse, elle se mit à défaire et à refaire sa malle. Il y avait peu de voyageurs ; ils étaient tous sur les galeries. Le salon était désert. Nogolka pensa qu'elle pouvait, sans inconvénient laisser sa porte ouverte. L'ombre d'une personne s'étant portée sur le linge qu'elle rangeait, elle releva la tête ; Pélasge était debout sur le seuil. Ce qui se passa en elle, quels mots pourraient jamais le dire ? Sa joie fut immense ; ses yeux devinrent humides et rayonnants ; elle tremblait, elle respirait avec peine.

Pélasge parla le premier.

« Vous m'auriez peut-être refusé, dit-il, de vous accompagner jusqu'à la première station ; j'ai agi sans votre permission.

— Merci, ah ! merci mille fois, M. Pélasge ; si vous saviez tout le bien que vous me faites ! Me voici consolée de l'injustice des autres. Asseyez-vous là, près de moi. Je m'en vais bien loin ; hélas ! je vous parle pour la dernière fois. Je veux vous dire tout. C'est peut-être très mal ce que je fais là, mais c'est pour votre bien. M. Pélasge, je vous aime. Je vous aime depuis le jour de votre arrivée sur l'habitation. Mais vous – que je suis donc malheureuse ! – vous aimez Mlle Saint-Ybars. Oh ! ne cherchez pas, par pitié pour moi, à le nier. Je sais que vous aimez Chant-d'Oisel. Vous l'aimez de bonne foi, loyalement, avec toute la confiance d'un jeune homme qui a le sentiment de sa propre valeur. Mais elle, êtes-vous bien sûr qu'elle vous aime comme vous méritez de l'être ? Elle ne connaît que vous jusqu'à présent ; mais quand son père passera l'hiver avec elle à la Nouvelle-Orléans, et la conduira dans un monde où elle verra beaucoup de jeunes gens de famille, qui peut vous affirmer qu'elle restera fidèle au souvenir du petit professeur de campagne ? Je vous fais de la peine en disant cela ; pardonnez-moi. Prenez bien garde, M. Pélasge ! vous êtes dans un milieu où j'ai vécu cinq ans, milieu où règnent despotiquement des préjugés de plusieurs sortes. Chant-d'Oisel elle-même, malgré tout l'attachement qu'elle peut avoir pour vous, croyez-vous qu'elle aurait assez de force de caractère, pour vaincre l'opposition de toute sa famille ? c'est attendre beaucoup d'une personne encore si jeune.

« Il n'y a que Vieumaite sur qui vous puissiez compter ; mais n'oubliez pas que le jour où vous demanderiez Mlle Saint-Ybars en mariage, l'opinion de cet excellent vieillard serait écrasée sous la coalition des autres. En tout cas, soyez prudent et patient ; ne vous hâtez pas ; peut-être le temps qui amène toujours des changements, travaillera-t-il pour vous. Je vous écrirai ; vous me répondrez, n'est-ce pas ? personne ne s'intéresse plus à votre destinée que moi.

— Il ne faut pas nous séparer comme si nous ne devions jamais nous revoir, répondit Pélasge ; tôt ou tard je retournerai en Europe. Dans ce siècle de navires à vapeur et de chemins de fer, les communications sont trop faciles et trop fréquentes, pour que des amis qui se quittent se disent adieu pour toujours. Gardons l'espérance, et au revoir ! »

Le bateau s'arrêtait. Pélasge et Nogolka s'embrassèrent.

« Un dernier mot, dit Nogolka en serrant les mains de Pélasge : j'ai eu deux éclairs de bonheur dans tout le cours de ma vie, et c'est à vous que je les dois. J'ai été heureuse le jour où je vous ai protégé contre la violence de M. Saint-Ybars ; je viens de l'être encore en vous embrassant. Maintenant, la mort peut venir ; je la recevrai sans me plaindre, et en pensant à vous.

— Et moi, répondit Pélasge, quoiqu'il advienne, heureux ou malheureux, je conserverai pieusement votre souvenir, et je serai toujours, de loin comme de près, votre ami dévoué. »

XXIV
Retour du calme

L'habitation Saint-Ybars, quelques mois après le départ de Démon et de Nogolka, avait repris son train accoutumé. Qui le croirait ? ce fut un petit être blanc et rose, un enfant, qui eut le don de ramener la joie au sein de cette famille naguère si agitée et ensuite si attristée. Blanchette, par la gentillesse de son caractère, s'était attiré les bonnes grâces de tous ; chacun voulait avoir une part de ses caresses. Saint-Ybars, qui ne faisait jamais les choses à demi, s'était pris pour elle d'une vraie passion de père jaloux. Il voulait que le premier baiser matinal et la première pensée de Blanchette fussent pour lui. La petite négresse qui la gardait avait reçu l'ordre, dès qu'elle lui voyait ouvrir les yeux, de lui dire : « Allons voir papa Saint-Ybars. »

Chose à laquelle personne ne s'attendait, Blanchette opéra une sorte de réconciliation entre le maître et la maîtresse de la maison. Dès que Mme Saint-Ybars avait vu poindre l'affection de son mari pour Blanchette, elle s'était appliquée à le faire aimer de l'enfant, et Saint-Ybars lui en avait su gré.

Chant-d'Oisel prenait, à l'égard de Blanchette, son rôle de petite mère très au sérieux. C'était elle qui faisait ses vêtements, elle qui s'occupait de sa toilette, elle qui l'emmenait à la promenade. Au repas, Blanchette était assise à côté de sa marraine qui lui apprenait à manger proprement. Chant-d'Oisel faisait déjà de beaux projets d'éducation pour Blanchette : M. Pélasge serait son professeur de français, de géographie et d'histoire ; sa marraine lui enseignerait l'anglais et la musique.

Tout allait donc bien. On avait reçu plusieurs fois des nouvelles de Démon. Il était à Paris, confié à un ami de la famille de Pélasge, M. Adolphe Garnier, homme doux et d'une haute raison, aussi modeste qu'instruit, alors professeur de philosophie à la Sorbonne. Dans les premiers temps la tristesse persistante de Démon lui avait fait peur ; il s'était demandé s'il ne déclinerait pas la responsabilité de diriger, dans ses études, ce jeune garçon dégoûté de toutes choses, ennuyé de vivre, bon et poli sans doute mais d'une taciturnité désespérante, travaillant pour l'acquit de sa conscience, et dont la santé d'ailleurs devenait de plus en plus vacillante. Heureusement, Démon avait fini par sentir l'influence bienfaisante du milieu dans lequel il était placé. Il s'était attaché à M. et à Mme Garnier ; sa présence adoucissait le chagrin que leur avait laissé la perte d'un fils unique. Ils s'habituèrent à voir en lui moins un pensionnaire qu'un membre de la famille. Le goût de l'étude revint à Démon, sa santé se raffermit. Il suivait comme externe libre les cours du collège Saint-Louis ; le soir, il travaillait sous la direction de M. Garnier. Le dimanche, dans la belle saison, on faisait une excursion aux environs de Paris ; en hiver, on allait au théâtre ou au concert. Démon était heureux ; ses lettres à sa famille se ressentaient de la sérénité de son esprit ; toujours affectueuses, elles étaient quelquefois enjouées. Mais c'était surtout avec Pélasge et Mamrie qu'il s'épanchait. Le temps ne diminuait aucunement l'affection qu'il avait pour eux. Il écrivait à Mamrie en créole ; elle lui répondait de la même manière. Les lettres de Mamrie faisaient l'admiration de M. et de Mme Garnier ; ils les montraient aux amis de la famille, Démon les traduisait. M. Garnier en fit publier plusieurs dans un journal de philologie, avec des commentaires sur la langue créole par Pélasge. Mamrie occupa l'attention d'un certain nombre de lettrés, ce qui la faisait rire de bien bon cœur.

XXV
Comment M. de Lauzun s'empare d'un secret

Mamrie, dans une de ses lettres à Démon, racontait la rentrée de Titia. Un matin, de bonne heure, un Indien et une Indienne de la petite tribu campée dans le voisinage du sachem, avaient demandé à parler à Saint-Ybars. L'Indien dit qu'il savait où était la jeune fille partie marronne, et que si Saint-Ybars promettait de lui pardonner, elle reviendrait. Saint-Ybars donna sa parole. Alors, l'Indienne demanda des vêtements pour Titia ; on lui en donna. Quinze jours après, la fugitive rentrait. M. de Lauzun la trouva plus belle que jamais ; il lui en fit son compliment, dans un langage pompeux emprunté de M. le vicomte d'Arlincourt, son auteur favori pour le style.

Titia reprit ses fonctions de femme de chambre auprès de Chant-d'Oisel ; en outre, elle remplaça la petite négresse qui servait de gardienne à Blanchette.

M. de Lauzun recommença à importuner Titia de ses déclarations. Ses effusions de tendresse restant sans résultat, il offrit des bijoux ; ils furent refusés avec dédain. M. le duc, blessé dans son amour-propre, considéra dès lors sa passion pour Titia comme une partie d'honneur, engagée par lui contre la bégueulerie d'une esclave qui croyait être quelque chose parce qu'elle avait la peau blanche.

« Ah ! elle ne veut pas se laisser prendre par la douceur, se dit-il ; eh bien ! je la prendrai par la terreur. »

Cette idée une fois bien enracinée dans sa tête, il épia l'occasion.

M. le duc n'écoutait pas seulement aux portes ; il regardait par le trou des serrures ; il ramassait tous les petits morceaux de papier écrit ; se blottissant dans les coins sombres, il guettait comme un chat. Il avait un cahier sur lequel il prenait note de tout, ne laissant pas passer l'incident en apparence le plus futile. Les jeunes dames de la maison eussent été étonnées et non moins effrayées, en lisant cette espèce de journal, de voir combien le petit polisson était exactement renseigné sur les particularités de leurs personnes.

Dans une de ses explorations, M. de Lauzun s'arrêta devant la chambre de Chant-d'Oisel, et regarda par la serrure. Titia était seule avec Blanchette. Agenouillée devant un lit de repos, sur lequel la petite était assise, elle la dévorait de caresses. M. de Lauzun n'avait jamais vu couvrir un enfant de baisers aussi passionnés. Il alla aussitôt s'enfermer dans sa chambre, pour consigner le fait sur son cahier de notes. Il avait une faculté redoutable : quand il avait saisi un indice, il ne le lâchait plus ; il le poursuivait dans ses conséquences possibles avec une ténacité infatigable. Employé par la police secrète, dans une grande ville, il n'eût pas tardé à conquérir la première place dans l'estime de ses chefs.

Titia et Lagniape ne se défiaient pas assez de M. le duc. Lagniape l'appelait l'effronté petit page ; elle aurait mieux fait de dire le *pervers et dangereux petit page*. Il avait surpris des signes d'intelligence entre elles. Il finit par s'assurer que tous les dix jours, Lagniape sortait dès l'aube. Elle prenait le chemin des charrettes, et rampait patiemment jusqu'à la levée. Là, elle attendait, au pied d'un arbre, l'arrivée de la *Belle Ida*, bateau à vapeur qui faisait le service de la côte et descendait jusqu'à Nouvelle-Orléans. Le cuisinier du bord, connu de Lagniape, s'approchait d'elle avec précaution, en recevait une lettre, ou lui en remettait une, selon que le bateau descendait ou remontait. Quand M. de Lauzun eut bien constaté ce double fait, il n'eut plus qu'une pensée – s'emparer du secret de cette correspondance. « Quand on est maître d'un secret, on est toujours fort », se disait-il ; et pour arriver à son but, il employa un moyen aussi infernal qu'ingénieux. Il attendit Lagniape à un endroit du chemin, où il était sûr que ses cris ne seraient pas entendus. Caché derrière la haie, il glissa une sarbacane dans les interstices du feuillage, à la hauteur de la figure de Lagniape ; il l'avait chargée avec une poudre composée de poussière de poivre et de piment. Il vit venir la vieille de loin. Elle suivait le bord du fossé, toujours du même côté. Quand elle fut à portée, il lui souffla sa poudre dans les yeux. Lagniape poussa des cris de douleur, et appela au secours. Au milieu de ses lamentations, M. de Lauzun descendit tranquillement dans le fossé, s'approcha d'elle par derrière, et prit une lettre dans sa poche.

XXVI
Une machination scélérate

Il y avait plus d'une heure que Lagniape gémissait et appelait, lorsqu'elle fut recueillie par des nègres qui allaient, avec leurs charrettes, chercher du bois sur la levée. Elle se croyait aveugle pour toujours, elle était désespérée. Heureusement, à l'aide de soins assidus, elle devait échapper à ce malheur ; mais elle allait avoir à suivre un traitement de plusieurs semaines, pour recouvrer la vue entièrement.

La lettre était de Titia ; elle écrivait au jeune maître dont on l'avait séparée en la vendant. Elle l'aimait toujours ; de son côté il n'avait jamais renoncé à l'espoir de la racheter ; il travaillait et économisait pour cela. La lettre de Titia contenait beaucoup de choses. M. de Lauzun, pour la lire, alla s'enfermer dans sa chambre. Quand il eut fini, il se regarda dans la glace, se sourit et dit :

« Mon cher, vous êtes un habile homme ; Titia est à vous. »

Cependant, une difficulté grave s'opposait au triomphe de M. le duc ; comment profiter des secrets de Titia, sans trahir le stratagème abominable à l'aide duquel son Excellence les avait dérobés ? Mais une difficulté, quelque grande qu'elle fût, ne décourageait jamais M. de Lauzun. Il avait attrapé, au cours de ses lectures, une maxime de la Rochefoucauld dont il s'était fait une règle de conduite ; il la savait par cœur, et l'avait toujours présente à l'esprit : c'était celle où l'auteur affirme qu'il n'y a jamais rien d'impossible à qui veut chercher les divers moyens d'arriver au but. M. de Lauzun fouilla donc dans son esprit, et, comme il n'avait pas le moindre scrupule sur la nature des moyens, il en trouva un.

Chant-d'Oisel envoyait Blanchette à la promenade avec Titia, le matin et au coucher du soleil. Titia poussait la petite voiture, dans laquelle l'enfant s'asseyait quand elle était fatiguée de marcher. Le plus souvent Titia suivait la grande avenue des chênes. M. de

Lauzun ne manquait jamais de la rencontrer dans ces promenades. Comme il ne parlait plus de son amour à Titia, elle l'en croyait guéri, et lui cédait volontiers sa place pour pousser la petite voiture.

Le moment de jouer le coup décisif, se présenta enfin.

M. de Lauzun attira adroitement Titia au bord du fleuve, et, par manière de divertissement, posa Blanchette dans une pirogue qu'il se mit à pousser et à ramener au rivage, sans jamais lâcher la corde à laquelle elle était attachée. La chose amusait beaucoup Blanchette ; elle riait et répétait sans cesse : « Encore. » Titia, par prudence, répétait de son côté : « Lauzun, prenez garde.

— Soyez donc tranquille, répondait M. de Lauzan ; il n'y a pas le moindre danger. »

Il fila insensiblement la corde, jusqu'à ce qu'il eût dépassé l'endroit où, la veille, il l'avait presque entièrement coupée. Alors, tirant dessus, il la rompit. Il poussa un cri de surprise, et dit sur le ton de l'alarme :

« La corde est cassée ! »

Titia regarda et frémit : le courant emportait la pirogue, d'un mouvement très lent mais continu. Effarée, elle allait crier pour appeler au secours, lorsque M. de Lauzun lui imposa silence, en lui disant froidement :

« C'est inutile, nous sommes trop loin ; personne n'entendrait votre voix ; il n'y a que moi qui puisse sauver Blanchette.

— Sauvez-la donc, s'écria Titia.

— Diable ! reprit M. de Lauzun, elle est déjà bien loin, il est peut-être trop tard. »

Blanchette appuyait ses petites mains sur le bord de la pirogue, et se penchait pour regarder l'eau dont le tournoiement et le bruit excitaient sa curiosité.

« Elle va tomber, dit Titia en poussant M. de Lauzun ; allez donc vite à son secours.

— Vous me commandez de m'exposer à me noyer, objecta M. de Lauzun, comme si vous aviez droit de vie et de mort sur moi.

— Non, reprit Titia en se mettant à genoux, je ne commande pas ; je supplie, je pleure. »

M. de Lauzun fixa des yeux ardents sur la jeune femme, et dit :

« Titia ! Blanchette est ta fille ; avoue-le, je la sauve ; sinon... regarde ! vois comme elle s'éloigne. »

La malheureuse joignit les mains :

« Lauzun, dit-elle, sauvez mon enfant !

— Ah ! ah ! je savais bien, moi, que c'était ta fille. Je la sauverai à une condition – c'est que tu seras ma femme ; entends-tu, ma femme dès ce soir. Veux-tu, oui ou non ? Regarde comme la pirogue s'en va ; plus une seconde à perdre.

— Lauzun, sauvez ma fille, dit Titia désespérée ; je vous obéirai.

— Tu seras ma femme ?

— Oui. »

M. de Lauzun avait pris ses précautions ; il était vêtu légèrement et chaussé de pantoufles. Il se jeta à l'eau, et, en vingt brasses, atteignit l'embarcation. Il y entra, et revint en pagayant comme un homme obligé de faire de grands efforts.

Titia serra Blanchette contre son sein, en fondant en larmes.

« Titia, dit M. de Lauzun, tu sais où est ma chambre ; je t'attends ce soir, à onze heures. »

Titia baissa les yeux, M. de Lauzun s'éloigna. Il avait caché un paquet dans les cannes à sucre ; il changea d'habits, et rentra aussi tranquille en apparence qu'au retour d'une promenade ordinaire.

XXVII
Que faire pour échapper au déshonneur ?

Fier comme un général qui a remporté une grande victoire, et patient comme un créancier qui est sûr d'être payé, M. le duc attendit en fumant des cigarettes, et en lisant les *Amours du chevalier de Faublas*. Onze heures sonnèrent à sa pendule : à chaque coup du timbre, son corps vibra d'un frémissement voluptueux ; l'ivresse de la vanité satisfaite lui monta au cerveau, il s'estima l'égal des plus grands hommes.

Cependant, Titia ne venait pas. La demie de onze heures retentit, puis minuit, sans que le frôlement d'une robe vînt mettre un terme à l'impatience furieuse de M. de Lauzun. Tout à coup, se ravisant, il passa de la colère à une recrudescence d'orgueil et d'espérance.

« Simple affaire de pruderie, se dit-il ; elle fait celle qui n'ose pas venir, qui a honte. La comédie ordinaire des femmes, quoi ! alors, puisqu'elle ne vient pas à nous, allons à elle. »

M. le duc pénétra à quatre pattes et à pas de loup dans la chambre de Titia. Son dépit égala sa surprise, lorsqu'en tâtant le dessus de la couchette, il s'aperçut qu'elle était vide. Il se retira, le cœur étreint d'une rage féroce, pensant que Titia était de nouveau partie marronne avec son enfant. Le désappointement et la colère le tinrent éveillé jusqu'à trois heures ; il s'endormit en se promettant, dès que l'occasion s'en présenterait, de se venger.

Le reste de la nuit s'écoula paisiblement. Avec le retour du jour, tout dans la maison reprenait son train ordinaire. Chant-d'Oisel fit appeler Titia plusieurs fois ; on finit par lui répondre qu'on ne savait où la trouver, qu'on l'avait vainement appelée de tous côtés.

La disparition de la jeune domestique devint le sujet de toutes les conversations ; l'idée qu'elle s'était échappée encore une fois, se présenta naturellement à tous les esprits.

On apprêtait le déjeuner. M. de Lauzun dormait encore, malgré le bruit de la cour.

Une petite négresse que Mme Saint-Ybars avait envoyée chercher de l'eau au puits, rentra dans la maison en poussant des cris d'effroi. On eut beau l'interroger, elle ne répondait pas et criait toujours ; elle était prise d'un mouvement convulsif général ; on eût dit qu'elle dansait sur des charbons ardents. Ses cris attirèrent tout le monde dans la chambre de Mme Saint-Ybars. Les yeux lui sortaient de la tête, ses mâchoires claquaient comme une crécelle.

Sémiramis accourut.

« Atanne, dit-elle, ma fé li parlé, moin[1]. »

Et s'avançant vers la petite négresse, elle agita sa baleine, et dit :

« Acé grouillé comme ça, é to pé to ladjeule[2]. »

La petite négresse s'arrêta et se tut.

La terrible vieille fixa sur elle ses gros yeux brillants et durs, et lui dit :

« Ça to té gagnin pou crié comme si moune tapé corché toi[3] ?

— Titia...

— Titia, apré ?

— Li néyé[4].

— Ça to di ? parlé clair, ou sinon...[5]

— Oui, man Miramis, ma parlé bien clair. Ça mo di cé vrai. Titia néyé dans pi ; so ziés tou gran ouvert, lapé gardé on ciel[6]. »

---

[1] Attendez, dit-elle, je la ferai parler, moi.

[2] C'est assez grouiller comme ça ; et tu te fermes la gueule.

[3] Qu'est-ce que tu as qui te fait crier comme si quelqu'un était en train de t'écorcher ?

[4] Elle s'est noyée.

[5] Qu'est-ce que tu dis ? parle clairement, ou sinon...

[6] Oui, Man Miramis, je parlerai clairement. Ce que je dis c'est vrai. Titia est noyée dans le puits ; ses yeux sont grands ouverts, elle regarde vers le ciel.

On courut au puits. Ce qu'avait dit la petite négresse, n'était que trop vrai. Titia, les bras croisés sur la poitrine et la tête à moitié hors de l'eau, les yeux ouverts et dirigés vers le ciel, était étendue sur le dos, raide comme une statue.

Le brouhaha de la cour mit fin au long sommeil de M. de Lauzun. Le bruit des voix et l'attroupement des gens autour du puits, excitèrent sa curiosité ; il s'habilla en toute hâte. Il allait sortir lorsqu'il aperçut une carte à jouer que l'on avait glissée sous la porte : c'était un as de pique, sur lequel il y avait quelque chose d'écrit. Il la ramassa, et lut :

« À vous la responsabilité de ma mort. Respectez le secret de la petite innocente : sinon, soyez maudit ! »

M. de Lauzun reconnut immédiatement l'écriture de Titia. Il cacha la carte dans son portefeuille. Il sortit en tremblant ; une terreur incoercible faisait vaciller ses genoux. Il se dirigea vers la foule. On venait de retirer Titia du puits. À l'aspect de sa figure décolorée et de ses yeux ouverts et immobiles, il poussa un cri d'épouvante, et tomba à la renverse, privé de connaissance.

« Fichu capon », grommela Sémiramis.

Et pour le ramener à la vie, elle ordonna à un nègre de lui lancer des seaux d'eau au visage.

XXVIII
Remords d'un poltron

La mort de Titia fut attribuée à un accident. On fut d'autant plus porté à le croire, que peu de temps auparavant une négresse, en se penchant trop dans le puits, pour tirer de l'eau, y était tombée.

Mamrie, aidée de Lagniape, fit la dernière toilette à Titia. En lui ôtant ses vêtements mouillés, elles s'aperçurent que sa chemise était cousue entre les jambes. Cette circonstance les fit réfléchir ; elles y virent une précaution dictée par un sentiment de pudeur, et dès lors il devint évident pour elles que Titia s'était ôté volontairement la vie.

Mamrie expliqua naïvement cet acte de désespoir.

« Titia té tro blanche, dit-elle, pou ain nesclave ; ça té fé li si tan onte que li préféré mouri[1]. »

Lagniape n'accepta pas cette explication ; mais elle n'en dit rien à Mamrie. Elle se sentait incapable, pour le moment, de chercher la vraie cause d'un malheur si inattendu ; elle était frappée de stupeur, elle eût vainement creusé son esprit. Elle perdait en Titia le seul être qui l'aimât d'une affection dévouée, elle misérable difforme. Elle se sentit si isolée dans le monde qu'elle eût volontiers imploré la mort, si elle n'avait pensé à Blanchette. Elle devait vivre pour veiller sur la petite ; elle la verrait grandir, elle en donnerait des nouvelles au père, et un jour viendrait où il se ferait connaître à sa fille.

Titia avait quelquefois parlé à Lagniape des déclarations amoureuses de M. de Lauzun. Après la mort de la jeune femme, ses confidences revinrent à l'esprit de la vieille. L'évanouissement de M. le duc à la vue du cadavre de Titia, se présentait souvent à la pensée de Lagniape comme un fait encore inexpliqué. Les allures de M. de Lauzun, après le tragique événement du puits, donnèrent plus

---

[1] Titia était trop blanche, dit-elle, pour une esclave ; elle en avait tellement honte qu'elle préférait mourir.

de consistance aux soupçons naissants de Lagniape. Naturellement superstitieux et poltron, la mort de sa victime le jeta dans des transes continuelles. Il croyait aux revenants ; au seul mot de cimetière ou de fantôme, il avait des sueurs froides. Maintenant, il ne pouvait plus rester seul, surtout le soir ; il se faisait accompagner partout du petit nègre qu'il avait attaché à son service ; il le faisait coucher dans sa chambre. La vue de l'eau lui causait des terreurs subites ; la tête de Titia montait à la surface, et le regardait avec ses grands yeux clairs et froids. Elle le poursuivait dans ses rêves ; il se réveillait en sursaut, ruisselant et glacé ; il appelait Windsor, et lui demandait s'il n'avait rien vu, rien entendu. Il n'allait plus à la chasse, craignant de rencontrer le spectre de Titia dans la demi-obscurité des bois.

Un jour M. de Lauzun, pour répondre à un appel de Saint-Ybars, eut à traverser le salon. Les portes pleines étant entrebâillées et les rideaux tirés, la pièce était pleine d'ombre. Un guéridon occupait le centre. M. le duc eut une hallucination. Il s'arrêta tout tremblant. Le guéridon remuait, s'élargissait ; un trou noir se creusait au milieu. Ce n'était plus une table que M. de Lauzun avait devant lui, c'était un puits. Il entendit l'eau qui remuait. Titia, pâle et raide, monta tout droit du fond du puits, tenant Blanchette dans ses bras, et resta suspendue dans l'air, au-dessus du rond béant.

M. de Lauzun tomba sur ses genoux, et dit entre quatre ou cinq hoquets :

« Grâce, Titia ! je vous donne ma parole d'honneur la plus sacrée que je ne dirai rien. »

Titia inclina la tête, et d'une voix éteinte :

« C'est bien, chuchota-t-elle ; à cette condition, je te laisse tranquille. Si jamais tu trahis ton serment, malheur à toi ! »

Elle s'enfonça lentement dans l'obscurité du puits.

Quand M. de Lauzun sortit du salon, il ressemblait plus à un mort qu'à un vivant. Cependant, comme il avait promis de bonne foi qu'il se tairait, sa conscience se calma, il rentra dans son état naturel. Toutefois, après cette terrible apparition, il fut pris d'un besoin irrésistible de marcher. Windsor le suivait partout. Quand il s'arrêtait, il entendait des voix qui parlaient dans la terre, sous ses pieds. Il lui fallut plusieurs mois, pour reprendre entièrement ses anciennes habitudes.

XXIX
Années de tranquillité

La série d'événements malheureux qui s'était abattue sur l'habitation Saint-Ybars, comme une suite de coups de foudre, parut s'arrêter à la mort de Titia. Les années se succédèrent paisiblement, à peu près semblables les unes aux autres.

Pélasge s'était conformé au sage conseil de Nogolka, en ne se pressant pas de parler mariage à M. et à Mme Saint-Ybars. Aimant Chant-d'Oisel et sûr d'en être aimé, il attendait avec confiance. Elle continuait de travailler avec lui ; rien ne pouvait apaiser sa soif d'apprendre. Pour elle apprendre et toujours apprendre, c'était grandir sans fin dans l'estime de son professeur devenu son ami. Et lui, ne le voyait-elle pas élargir sans cesse, par l'étude, l'horizon de ses connaissances, creuser plus profondément les questions qui se rattachent à l'histoire de l'homme et des sociétés ? Elle l'admirait, elle était fière de lui ; elle le trouvait si supérieur aux autres par le cœur et l'esprit ! Elle s'imprégnait de sa chaude et belle âme ; elle rayonnait de joie quand elle avait exprimé verbalement, ou sur le papier, des pensées qu'il approuvait. Comme lui, elle avait foi en l'avenir. Elle ne se demandait pas ce que dirait son père, s'il venait à savoir qu'elle s'était fiancée avec Pélasge ; l'idée qu'on pourrait le trouver indigne d'elle, ne lui était jamais venue à l'esprit. Son caractère s'était formé ; sans rien perdre de sa douceur, il avait considérablement acquis en fermeté et en décision ; il se rapprochait, de plus en plus, de celui de Démon. Elle avait une haute opinion de la personnalité humaine, et en toutes choses elle entendait réserver son libre arbitre comme un droit inaliénable. Elle était ouvertement opposée à l'institution de l'esclavage ; par convenance elle n'en parlait pas devant les domestiques, mais au salon elle prenait son franc-parler. Elle ne quittait jamais le terrain des principes ; ce n'étaient pas des opinions qu'elle avait, mais des convictions ; si elle avait fléchi devant des considérations d'intérêt, elle eût commis, au tribunal de sa conscience, un acte de lâcheté et de trahison envers la cause de la vérité et de la justice. Mais elle était femme ; quand elle entendait les cris d'un esclave qu'on châtiait, elle pleurait. Dans ces moments d'angoisse, heureusement rares, Pélasge était sa grande consolation ; il lui faisait entrevoir, dans l'avenir, les adoucissements que la force des choses et l'esprit du siècle ne pouvaient manquer d'apporter au sort des esclaves. Il lui rappelait « combien, depuis une cinquantaine d'années, leur condition s'était améliorée. Il était persuadé que si la presse du Sud, se montrant digne de sa mission, avait le courage de conseiller l'abolition graduelle de l'esclavage, l'affranchissement des nègres s'opèrerait sans violence. Faute de quoi, chacun parmi ceux qui pensaient comme Chant-d'Oisel et lui devait prêcher, dans la sphère de son influence, l'émancipation progressive des esclaves, sans jamais sortir du langage calme prescrit par la raison. Chant-d'Oisel, aimée et respectée de tous, pouvait le faire mieux que personne. Les femmes avaient toujours joué un beau rôle dans les transformations sociales fondées sur la justice. Il n'y avait plus de temps à perdre ; l'institution de l'esclavage, condamnée en principe depuis longtemps, était aux dix-neuvième siècle un anachronisme qui choquait le sentiment public du monde civilisé. L'abolitionnisme faisait des pas-de-géant ; il marchait plus rapidement que ne le croyaient les abolitionnistes eux-mêmes. À l'heure présente, lui Pélasge ne conseillerait à personne de placer sa fortune en esclaves ; les nègres étaient désormais de toutes les propriétés la plus précaire. »

Chant-d'Oisel, réconfortée par ces raisons, essuyait ses larmes.

« Eh bien ! je ne pleurerai plus, disait-elle ; c'est honteux ; je parlerai, j'agirai. J'ai le droit de dire ce que je pense. On peut me *lyncher*, ça m'est égal ; je ne tiens pas à la vie, s'il faut, pour la garder, se condamner à un silence que réprouve ma conscience. »

Blanchette était comme un trait d'union vivant placé entre Pélasge et Chant-d'Oisel ; dans la maison, au jardin, à la promenade dans les champs ou au bord du fleuve, elle était toujours avec eux.

Ils s'occupaient de son éducation, ils pensaient à son avenir. Ils lui parlaient toujours le langage de la raison, s'abstenant scrupuleusement de remplir son esprit de contes et de légendes. Blanchette avait un caractère enjoué, une intelligence facile, un cœur tendre et aimant. C'était maintenant une ravissante fillette aux cheveux brillants et dorés, fins et doux au toucher. Toutes ses pensées, toutes ses émotions se lisaient dans l'azur transparent de ses yeux. Sous sa peau blanche et rosée on voyait, pour ainsi dire, circuler la vie dans ses petites veines aux sinuosités gracieuses. Quoiqu'elle se portât bien, sa constitution était d'une délicatesse extrême. Le climat de la Louisiane était trop chaud pour elle ; elle ressemblait à une de ces plantes frêles et diaphanes qui croissent dans l'ombre des vallons du Nord, et qu'un rayon de soleil accable. Aussi, Chant-d'Oisel ne la faisait-elle jamais sortir dans le milieu du jour, excepté en hiver.

Blanchette aimait tout son monde ; mais pour elle Chant-d'Oisel était une personne à part : c'était sa nénaine, sa protectrice naturelle, sa providence ; à cette nénaine elle devait une plus grande part d'amour, de respect, d'obéissance.

Un instinct mystérieux disait à Blanchette que parmi tous les hommes de la maison, Pélasge était celui qu'il fallait aimer le plus : il était l'ami de nénaine, et d'ailleurs n'était-ce pas lui qui prenait la peine d'instruire la petite Blanchette ? Il était si bon pour elle, lui ; jamais il ne la grondait, il jouait avec elle, il lui rapportait toujours de si jolies choses chaque fois qu'il faisait un voyage à la Nouvelle-Orléans !

Il y avait une troisième personne pour qui Blanchette avait une préférence marquée ; c'était Lagniape. Sans se rendre compte de l'infirmité de la vieille, elle voyait bien qu'il y avait chez elle une chose qui en faisait un être incomplet, voué à la souffrance et à la tristesse. Elle avait compassion d'elle, et la défendait quand les enfants la taquinaient. De son côté, Lagniape raffolait de Blanchette ; elle ne trouvait pas d'expressions assez tendres pour faire comprendre à l'enfant combien elle l'aimait. Elle en était fière, elle l'appelait sa petite princesse, son diamant ; en la voyant si blanche, si rosée, si jolie, si intelligente et si aimable, elle rêvait pour elle un avenir splendide, une destinée comme on n'en voit que dans les *Mille et une Nuits*. Ces songes dorés de son imagination n'étaient pas des songes pour elle ; elle les prenait très au sérieux, elle les considérait comme de saines et légitimes espérances. La poésie des grandeurs avait toujours fasciné Lagniape ; c'était son côté faible. Elle voyait déjà Blanchette à vingt ans, brillant comme un astre dans la société des blancs, admirée et recherchée par les fils de famille les plus riches. Elle assistait à son mariage : quelle fête ! quel luxe ! que de magnifiques présents prodigués à la mariée !

Lagniape croyait sincèrement qu'elle possédait le don de prophétie. Elle prédisait l'avenir avec une assurance imperturbable ; les uns la croyaient sur parole, les autres l'écoutaient en souriant. Une circonstance favorable à ses prétentions de devineresse, vint augmenter considérablement son autorité auprès des croyants. Elle avait jadis, comme on l'a vu au commencement de ce récit, annoncé en présence de Saint-Ybars, de Chant-d'Oisel, de Pélasge, de Titia et de Fergus le forgeron, que Stoval, le marchand d'esclaves, mourrait sur l'échafaud. Or, Saint-Ybars, un matin, en parcourant la chronique locale d'un journal de la Nouvelle-Orléans, lut que le nommé Stoval, ex-ministre protestant, ex-marchand d'esclaves, condamné à mort pour avoir coupé le cou à sa maîtresse, venait d'être pendu dans la cour de la prison de paroisse. Quand cette nouvelle se répandit sur l'habitation, la personne de Lagniape prit un caractère sacré aux yeux des nègres ; on la salua avec un redoublement de respect, et les vieilles négresses s'appliquèrent plus que jamais à lui donner des témoignages de dévouement.

Stoval était mort repentant et dans un état d'exaltation religieuse. Sur l'initiative du Dr. Deléry, médecin de la ville, une pétition avait été adressée au Gouverneur pour demander une commutation de peine. La réponse arriva le jour même fixé pour l'exécution. Quand le condamné apprit qu'elle était négative, il se mit à chanter des hymnes. Sa voix retentissante et lamentable emplissait la prison, frappant de terreur les prisonniers enfermés dans leurs cellules. Employé comme infirmier, pendant sa détention, il s'était montré zélé et dévoué aux malades. L'auteur de ce récit, remplaçant alors le médecin de la ville, se trouvait tous les jours en rapport avec Stoval ; il acquit, grâce aux confidences de ce malheureux, des renseignements très instructifs sur le développement de ses mauvais penchants.

Stoval, tout habillé de blanc, les bras liés par derrière, marcha vers la potence d'un pas ferme et en chantant une dernière hymne. Il y avait environ deux cents spectateurs dans la cour. Il s'assit sur un tabouret, au milieu de la plateforme du gibet. Là, il se tut et se recueillit. Après un court silence, il prononça quelques paroles pour reconnaître qu'il avait mérité la peine à laquelle la loi l'avait condamné. Il se souvint de son père et de sa mère ; il en fit l'éloge, et les exonéra de toute responsabilité à son égard ; « lui seul était coupable, sur lui seul devait retomber l'infamie de sa mort. »

Quand il eut cessé de parler, un des hôtes de la prison, remplissant les fonctions de bourreau, s'avança vêtu d'un domino noir, le visage caché sous un masque, passa la corde à son cou, tira son bonnet blanc jusqu'au dessous du menton, et entra dans une cellule contiguë à la potence. On entendit un coup de hachette coupant les cordes qui retenaient la plateforme ; celle-ci se déroba avec fracas sous les pieds du condamné : le grand corps sans vie de Stoval tournoya dans l'air, à vingt pieds au-dessus du cercueil qui l'attendait.

Lagniape, en apprenant ces détails, leva les yeux au ciel et dit :

« Le malheureux ! pour ce qui me concerne, je lui pardonne. »

XXX
Vieumaite prédit la guerre civile

Vieumaite se mêlait aussi de prévoir l'avenir ; mais chez lui il n'y avait aucune prétention au don de prophétie. Il étudiait attentivement les faits contemporains, pour en déduire les conséquences dans leur succession logique. Dès le printemps de 1860, il annonça une guerre civile aux États-Unis, parce qu'il lui semblait impossible, vu les états au Sud et au Nord, pour qu'elle n'éclatât pas prochainement. Sentant l'orage venir, il prit ses précautions. Il engagea d'abord Pélasge à ne pas changer sa nationalité, et il mit à son nom la propriété qu'il s'était réservée pour ses vieux jours. Ce serait en cas de malheur, disait-il, autant de sauvé pour Démon et Chant d'Oisel. Pélasge avait des économies ; sur le conseil de Vieumaite, il les consacra à l'achat de la ferme qu'il avait, comme en se jouant, construite avec Démon et une escouade de négrillons.

Vers la fin de l'été, Vieumaite baissait visiblement ; après une existence presque séculaire, il allait s'éteindre comme un foyer dont le combustible est à sa fin. À sa dernière heure, son esprit brilla d'un éclat extraordinaire. Après avoir fait ses adieux à toute la famille, il fit venir Pélasge, et lui dit :

« Il n'y a que vous, sur cette habitation, qui conserviez votre sang-froid ; je puis parler avec raison avec vous seul. Le torrent de la passion emporte mon fils et mes petits-fils. Les exaltés du Sud et les énergumènes du Nord vont compromettre cette grande république. La pendaison de John Brown est le défi que le Sud jette au Nord ; le glas que les églises de la Nouvelle-Angleterre ont sonné pour le supplicié est la réponse du Nord. Ici, l'ivresse de l'orgueil ; là-bas, la haine et le fanatisme. Ici, nous invoquons la souveraineté des États, mais ce que nous voulons c'est le maintien de l'esclavage ; là-bas, ils revendiquent les droits de l'humanité, mais ce qu'ils veulent c'est l'abaissement du Sud. Insensés ! on dirait qu'ils sont fatigués du bonheur que leur assure la paix. Le vertige de la gloire militaire trouble leurs cerveaux. La gloire militaire ! la folie du sang, la vieille monomanie dont l'humanité a tant de peine à se guérir.

« Mon jeune ami, la guerre civile approche ! la guerre civile, le plus affreux de tous les maux.

« Ô Sud, quel triste sort t'attend ! Vainqueur ou vaincu, ton malheur est certain. Vainqueur, tu traînes un boulet attaché à ton pied, l'esclavage. Ton ennemi, défait sur le champ de bataille, te poursuit sans trêve ni merci sur le terrain de la discussion. Vaincu, tes ateliers sont désorganisés ; la confiscation te saisit de ses serres impitoyables. Déchiré, dévoré comme Prométhée, que de temps il te faudra pour reprendre ta santé et tes forces ! Peut-être un demi-siècle.

« Monsieur Pélasge, je meurs à temps. Mes yeux ne verront pas des choses qui les feraient pleurer. Étendez sur moi, je vous prie, mon vieux manteau de voyage ; il me servira de linceul.

« Je veux être enterré sous le sachem, sans la moindre cérémonie. Mon père et ma mère voulurent être placés dans un tombeau ; je respectai leur volonté. La mienne est d'être couché dans un simple fossé ; qu'on la respecte. Vous êtes plus qu'un ami pour toute la famille ; vous en faites partie, en quelque sorte ; voyez, je vous prie, à ce que l'on m'enterre comme je le désire.

« Quand vous écrirez à Démon, embrassez-le bien affectueusement pour moi.

« Ma vie a été un long voyage ; j'éprouve un immense besoin de repos. Le sommeil me gagne. La mort est douce. Adieu, Monsieur Pélasge. »

XXXI
La Guerre

À peine les feuilles jaunies du Sachem, détachées par l'hiver, avaient-elles couvert la fosse de Vieumaite, que le canon du fort Sumter inaugurait cette lutte fratricide qui devait durer quatre ans. M. Héhé et Mlle Pulchérie se signalèrent parmi les séparatistes les plus ardents. Pour eux l'issue de la guerre n'était pas douteuse ; dans leur conviction un homme du Sud, habitué dès l'enfance à l'usage des armes, valait dix hommes du Nord, et l'affaire serait réglée en trois mois. Les fils et les gendres de Saint-Ybars s'engagèrent tous. De ces neuf braves, dont six étaient mariés, trois seulement devaient revenir.

Quand les Fédéraux s'emparèrent de la Louisiane, Saint-Ybars fut mis en demeure de se prononcer pour ou contre les États-Unis. Il répondit fièrement qu'il était l'ennemi d'une Union imposée par la force. Sous prétexte qu'il correspondait avec les Confédérés, on l'arrêta. Conduit devant le général Butler, il eut à subir une kyrielle de questions plus dérisoires les unes que les autres ; après quoi, on l'envoya au fort Lafayette, où il mourut épuisé de souffrances physiques et morales. Sa demeure princière fut transformée en caserne. Mlle Pulchérie ayant déclaré, sous serment, qu'elle avait toujours été unioniste, eut le privilège de garder son appartement. Pélasge recueillit Mme Saint-Ybars, Chant-d'Oisel et Blanchette sous le toit de Vieumaite ; Mamrie et Lagniape les suivirent. Les belles-filles de Mme Saint-Ybars se réfugièrent dans leurs familles. Pélasge s'établit sur la ferme.

M. Héhé s'empressa de nouer des relations amicales avec les officiers fédéraux. Il mangeait, buvait et fumait avec eux, à cette même table où il avait tant de fois partagé les repas des anciens maîtres du logis. Il eut le triste courage d'assister au froid et systématique pillage, qui s'organisa dans la somptueuse demeure. Il vit sans indignation percer, à coups d'épée et de baïonnette, les portraits de famille qui ornaient le salon.

Les Fédéraux essayèrent vainement d'exploiter l'habitation pour leur propre compte. Les nègres se dispersèrent comme des soldats en déroute, pour vivre les uns de pêche ou de chasse, les autres de rapine ; ceux-ci pour prendre du service dans l'armée des États-Unis, ceux-là pour exercer leurs métiers dans les villes. Les jeunes négresses se hâtaient de descendre à Nouvelle-Orléans, où les attendait une vie de plaisir. Les fossés se comblèrent, l'herbe poussa partout. Les chevaux d'un escadron de chasseurs, lâchés dans le jardin, le ravagèrent ; les plus beaux arbres, écorcés par leur dent, se desséchèrent, et leurs squelettes silencieux, restés debout, servirent de perchoirs aux carancros.

Quand le détachement qui occupait l'habitation se transporta ailleurs, le travail de destruction qui avait commencé sur ce beau domaine, s'accéléra d'une manière fantastique. En une nuit toutes les barrières disparurent ; un matin, le toit de toutes les cabanes manquait. Presque chaque jour des ossements frais gisaient dans le camp ou dans la cour ; des bœufs, des vaches, des mulets, des moutons, des chèvres étaient égorgés et dépecés pendant la nuit. Le logement des domestiques, la cuisine, la salle de bal, l'hôpital, les écuries, la maison de l'économe, les cabanes des nègres, les poulaillers, les colombiers, tout jusqu'aux niches des chiens, tout fut rasé. On accusait les nègres de ces déprédations nocturnes ; mais ils renvoyaient l'accusation à certains blancs, qui, d'après leur dire, ne valaient pas mieux qu'eux.

La maison des anciens maîtres, malgré la présence de Mlle Pulchérie, fut attaquée à son tour par les voleurs. Le soleil, le vent, la poussière et la pluie commencèrent à y pénétrer librement, à mesure que les portes et les fenêtres étaient enlevées. Mlle Pulchérie fut obligée de déguerpir ; elle alla s'imposer à la sœur de Mme Saint-Ybars. Les planchers s'évanouirent, suivis des poteaux, des solives, des panneaux, des escaliers. Bientôt il ne resta plus que la carcasse en brique, semblable à une forteresse abandonnée après un siège. Les briques elles-mêmes furent emportées ; de la magnifique résidence des Saint-Ybars, on ne vit plus que quelques pans de mur du rez-de-chaussée, à l'ombre desquels vinrent se reposer de vieilles vaches errantes.

La sucrerie, avec toutes ses dépendances, ne fut pas mieux traitée. Les Fédéraux, voyant qu'an lieu de sucre ils avaient fabriqué une espèce de goudron, abandonnèrent les machines. Avant de s'en aller, ils vendirent les approvisionnements de toute sorte dont les magasins étaient bondés. Après leur départ, les bois et les briques de l'usine, des échoppes, des hangars, des écuries, disparurent ; les machines à vapeur et les pièces de fer trop lourdes pour être enlevées en une nuit, furent laissées à leur place, exposée à l'action de l'air ; elles se couvrirent de rouille, et, au printemps suivant, leurs masses rouges furent submergées au milieu d'un désert de grandes herbes.

XXXII
Démon veut revenir

Au commencement des hostilités, Démon voulait rentrer dans son pays. Pélasge l'en dissuada. « Pourquoi revenir ? Lui écrivait-il ; sans doute parce que vous vous y croyez tenu d'honneur. Vous voulez, comme vos frères, payer votre dette de sang à votre État natal. Mais l'éducation que vous avez reçue en Europe vous a donné d'autres idées, d'autres sentiments que ceux de vos frères. J'ai là, sous les yeux, votre lettre du 19 novembre 1860 ; j'y lis ce passage qui donne une si haute idée de votre raison ; on le croirait écrit par un homme de quarante ans. – "L'Union est-elle vraiment en danger ? je ne pense pas que le Sud gagne à la rompre. L'esclavage est condamné dans la conscience du dix-neuvième siècle. Mort même dans l'esprit des maîtres, en tant que croyance, ce n'est plus qu'un fait brutal, une affaire d'argent, et la question se résoudra définitivement contre le Sud ; s'il prend les armes, il sera désapprouvé par la partie éclairée et libérale de toutes les nations. L'affranchissement des nègres est une des nécessités de notre temps ; il me paraît beaucoup plus prochain que vous ne le croyez au Sud. Ne me traitez plus d'esprit chimérique. Voyez : il y a à peine quelques mois, l'unité italienne était reléguée au séjour des utopies par MM. De Metternich, Guizot et Thiers, et voici qu'elle prend les formes tangibles de la réalité."

« Démon, croyez-moi, ne revenez pas. Pénétrez-vous bien d'une vérité, c'est que les esprits généreux qui combattent pour le principe de la souveraineté des États, sont en très petit nombre. On fait la guerre pour garder ses esclaves ; cela est si vrai qu'on les refuse aux généraux, qui les demandent pour les faire travailler aux tranchées. »

Le blocus fit mieux encore que les conseils de Pélasge ; il opposa un obstacle insurmontable aux désirs de Démon. La correspondance entre le professeur et son ancien élève devint difficile ; ils ne pouvaient s'écrire que par l'intermédiaire des officiers de la marine française en station à la Nouvelle-Orléans.

Mme Saint-Ybars et Chant-d'Oisel étaient très tourmentées, en pensant que Démon manquait d'argent. Depuis deux ans il avait pris son particulier ; il occupait un petit appartement dans le quartier latin, et suivait les cours du Collège de France, de l'Observatoire et du Jardin des Plantes. Comment faire pour lui envoyer de l'argent ? on n'en avait pas assez pour soi-même ; on vivait des produits de la petite ferme ; à peine avait-on de quoi acheter de la farine pour faire du pain. Mamrie eut une idée : il fallait cinquante piastres par mois à Démon, pour vivre à Paris ; elle promit de les avoir, pourvu que ces dames pussent se passer d'elle. Alors elle expliqua son plan ; il fut approuvé. Chant-d'Oisel entreprit bravement de faire la cuisine, Mme Saint-Ybars de laver, Lagniape de repasser, Blanchette de faire le ménage. Le soir on cousait.

Pélasge travaillait au jardin, coupait du bois, allumait le feu.

Chacun fouilla dans ses poches ; on réunit quelques piastres, et Mamrie partit pour la Nouvelle-Orléans. Dès le surlendemain de son arrivée, elle était installée rue du Canal, vendant des gâteaux et du candi faits par elle. Son air bon et souriant, sa manière gracieuse de servir, non moins que l'excellence de sa marchandise, lui attirèrent des pratiques, surtout parmi les officiers de l'armée fédérale, grands amateurs, on s'en souvient, de pâtisseries et de sucreries. L'un dans l'autre elle gagnait deux piastres par jour. Elle s'entendit avec la maison Lafitte & Dufilho, pour que leur correspondant à Paris comptât tous les mois deux cent cinquante francs à Démon. Elle gardait dix piastres pour se nourrir. Elle logeait gratuitement chez une vieille négresse amie de Lagniape.

Mamrie, sachant Démon à l'abri du besoin, était aussi heureuse qu'elle pouvait l'être après de si grands désastres et loin de Mme Saint-Ybars, de Chant-d'Oisel, de Blanchette, de Pélasge et de Lagniape. Elle écrivait aussi souvent que les circonstances le permettaient ; on lui répondait régulièrement.

Cette manière de vivre dura jusqu'à la fin de la guerre.

XXXIII
Après la guerre

La guerre finie, Pélasge analysa la situation. Un nouvel ordre social commençait, d'autres voies s'ouvraient aux gens de bonne volonté. Il construisit de ses propres mains un magasin ; près de la route qui longe le fleuve. Il y vendit d'abord des légumes, des œufs, du laitage, des fruits provenant de la ferme. Au bout de peu de temps il se trouva en mesure d'offrir aux acheteurs des étoffes et des chaussures. En moins de six mois, il se vit obligé d'agrandir son magasin. Enfin ses affaires prirent une extension telle qu'il fut dans la nécessité de s'adjoindre des aides. Alors, il put répondre à Démon qui avait un grand désir de revoir sa famille, qu'il lui enverrait des fonds pour faire le voyage. Blanchette sautait de joie, en pensant qu'au commencement de l'automne, elle verrait son parrain. Elle en avait tant entendu parler ! il lui avait envoyé tant de jolis petits cadeaux ! il devait être si bon ! Son portrait, échappé au naufrage, était dans la chambre de Chant-d'Oisel. Blanchette le contemplait souvent ; elle le trouvait bien beau. « Seulement, disait-elle en soupirant, pourquoi donc a-t-il l'air si triste ? »

Mamrie était revenue. Pélasge avait loué une cuisinière et une blanchisseuse, anciennes esclaves de l'habitation. Une jeune négresse, moyennant sa nourriture et une petite rétribution quotidienne, faisait le ménage.

Sous le rapport des affaires tout allait donc bien. Mais Pélasge avait un grave souci : le chagrin, les privations, des travaux trop forts pour une jeune fille habituée aux douceurs du luxe, avaient compromis la santé de Chant-d'Oisel. Depuis plusieurs mois, elle toussait et maigrissait ; malgré ses efforts pour paraître gaie, Pélasge la trouvait inquiète et triste. Il avait été convenu entre eux, qu'ils attendraient Démon pour se marier. À mesure que le moment désiré approchait, Chant-d'Oisel déclinait davantage. Un matin, à son lever, après une forte quinte de toux, elle expectora une abondante quantité de sang.

Pélasge, alarmé et le cœur brisé de chagrin, appela trois médecins en consultation. Ils lui donnèrent quelque espoir ; mais il ne fut pas la dupe de leurs bonnes paroles. Quand, après les avoir accompagnés jusqu'à leurs voitures, il revint au chevet de Chant-d'Oisel, il croyait avoir repris sa physionomie ordinaire ; mais elle, de son regard profond et doux, elle lut sur ses traits ce qu'il essayait de cacher. Elle lui fit signe de s'asseoir sur le bord de son lit. Elle passa ses bras autour de son cou, et lui dit : « Cher Pélasge, je suis perdue ; je savais depuis longtemps à quoi m'en tenir ; je me taisais, à cause de vous tous que je ne voulais pas affliger d'avance. La mort est une vilaine, une envieuse ; la perspective de notre mariage a allumé sa jalousie, elle ne veut pas que nous soyons heureux. Mais elle n'aura pas toute la satisfaction qu'elle espérait ; avant de quitter ce monde, je désire que vous me donniez votre nom ; j'aimerais qu'après mon dernier jour on dit, en parlant de moi – *Madame Pélasge.* – Vous ne me refuserez pas cela, n'est-ce pas, cher ami ? c'est une pensée que je caresse depuis que je me suis sentie atteinte mortellement ; elle a été la consolation de mes nuits sans sommeil. Mon bon Pélasge, vous n'aurez pas de répugnance, n'est-ce pas, à mettre votre main dans la mienne, et à déclarer, en présence du juge appelé pour nous unir, que vous me donnez votre nom ? Après avoir été votre fiancée pendant tant d'années, je serai si heureuse de pouvoir m'en aller avec mon anneau nuptial ! Vous me promettez ? »

Pélasge la caressa, la consola et promit.

À partir de ce moment, l'état de Chant-d'Oisel empira sans le moindre répit. Bientôt elle ne fut plus que l'ombre d'elle-même, ombre encore belle avec ses grands yeux noirs veloutés et sa riche chevelure. Elle était triste, mais résignée ; jamais un mouvement d'impatience, jamais la moindre plainte. Toutes les fois que Pélasge entrait dans sa chambre, elle avait un sourire pour lui ; son regard, profond et réfléchi, s'emplissait de tendresse en allant à la rencontre du sien ; sa voix, qui n'était plus qu'un souffle, murmurait affectueusement son nom. Une nuit, le temps étant à l'orage, elle se sentit plus mal que jamais ; elle respirait avec une peine croissante. Vers six heures du matin, elle eut un peu de soulagement. Le temps s'était remis au beau. Elle fit ouvrir toute grande la fenêtre qui était près de son lit. On était alors au mois de mars ; les orangers en fleur embaumaient l'air. Les oiseaux chantaient, les libellules se baignaient dans les premiers rayons du soleil. Chant-d'Oisel promena languissamment ses yeux sur la campagne ruisselante de lumière et le ciel tacheté de petites nuées roses. Elle sourit, et insensiblement s'absorba dans une longue rêverie. Elle revint à elle en soupirant, et dit à Mamrie :

« Mamrie, vou connin, cé pou jordi[1].

— Ça to di[2] ? demanda Mamrie.

— Mo di vou, reprit Chant-d'Oisel, cé jordi mapé mouri[3].

— Pé don ! pa parlé comme ça[4], interrompit la bonne négresse en faisant un effort pour cacher son émotion.

— Si fé, recommença Chant-d'Oisel ; fo bien mo parlé, mo gagnin tou plin kichoge pou di vou. Dabor, mo pa oulé ain ote que vou touché mo pove piti cor, vou tendé ? Asteur, pranne moin é metté moin su sofa-là[5]. »

Mamrie la prit dans ses bras et la posa sur le sofa, en se disant mentalement :

« Chère fie, to pa pésé lour, non[6] ! »

---

[1] Mamrie, vous savez, c'est pour aujourd'hui.

[2] Qu'est-ce que tu dis ?

[3] Je vous dis, reprit Chant-d'Oisel, que c'est aujourd'hui que je vais mourir.

[4] Paix donc ! ne parlez pas comme ça.

[5] Mais si ! recommença Chant-d'Oisel, il faut bien que je parle, j'ai toutes sortes de choses à vous dire. D'abord, je ne veux qu'aucun autre que vous ne touche à mon pauvre petit corps, vous comprenez ? Maintenant, prenez-moi, et mettez-moi sur ce sofa-là.

[6] Chère fille, tu ne pèses pas lourd, non !

Et tout haut :

« Di moin ça to oulé mo fé ; ma fé tou to volonté[7].

— Couté moin bien, répondit Chant-d'Oisel : metté dra prope dan mo litte. Apré, couri cherché dolo tchiède dan ain gran bakié. Va vidé ladan ain flacon plin dolo cologne, épi va lavé vou piti Chant-d'Oisel, comme vou té fé dan tan lé zote foi, eau Démon avé moin nou té tou lé dé tou piti. Apré ça, ma di vou ça vou gagnin pou fé[8].

— Oui, chère fie, dit Mamrie, ma contanté toi[9]. »

Et elle sortit. En moins de dix minutes, elle rentrait portant, sur la tête, un grand baquet en cèdre rouge cerclé de cuivre jaune. Elle le posa près du sofa, ferma les portes, et revint avec une grosse éponge fine et un flacon d'eau de Cologne. En lavant Chant-d'Oisel, elle se disait intérieurement :

« Comme li changé ! comme li maigre ! Mo senti mo tchor tou séré ; mé fo pa mo pleuré, ça sré fé li tro la peine[10]. »

Quand elle eut fini de laver et d'essuyer Chant-d'Oisel, elle lui passa une chemise de batiste, dernier reste de l'ancienne splendeur, et la replaça dans son lit. La malade se coucha sur le côté droit, en disant :

« Mo lasse, ma reposé ain brin[11]. »

Au bout de quelques minutes, Mamrie l'aida à s'asseoir en l'appuyant à des oreillers.

---

[7] Dis-moi ce que tu veux que je fasse ; je ferai toute ta volonté.

[8] Écoutez-moi bien, répondit Chant-d'Oisel, mettez des draps propres sur mon lit. Après, allez chercher de l'eau chaude dans un grand baquet. Videz là-dedans un flacon d'eau de Cologne et puis lavez votre petite Chant-d'Oisel, comme vous l'avez fait autrefois, quand Démon et moi étions tous les deux petits. Après ça, je vous dirai ce que vous avez à faire.

[9] Oui, chère fille, dit Mamrie, te je contenterai.

[10] Comme elle a changé ! Comme elle a maigri ! Je sens mon cœur tout serré ; mais, il ne faut pas que je pleure, ça lui ferait trop de peine.

[11] Je suis lasse, je vais me reposer un peu.

« Merci, Mamrie, dit Chant d'Oisel ; asteur couri di moman li vini, nou pas gagnin tro tan, mo bien géné pou respiré ; mo faible, faible[12]. »

Mamrie alla chercher Mme Saint-Ybars.

« Maman, dit Chant-d'Oisel, le moment prévu est arrivé ; c'est ce matin que votre fille se marie et vous quitte. Vous m'avez promis, vous savez, chère maman... Vous allez, avec Mamrie, faire ma toilette de mariée qui sera aussi ma toilette de morte. Mes effets sont là, dans l'armoire ; ils m'attendent depuis trois semaines.

— Ma fille, dit Mme Saint-Ybars, tu veux donc absolument...

— Oui, maman, j'y tiens, comme je tiens à être aimée de vous jusqu'au bout. Ayez du courage encore cette fois ; vous en avez tant montré depuis tous nos malheurs ! Faites ce que je désire, chère maman ; aidez-moi à m'en aller, le cœur satisfait. Pélasge est averti ; je lui ai fait dire par Mamrie d'aller chercher le juge. »

Mme Saint-Ybars et Mamrie revêtirent Chant-d'Oisel de ses habits de noce. Elle voulut qu'on lui mît même ses souliers de satin blanc et ses gants.

« Mes cheveux, dit-elle, sont ce qui me reste de plus beau ; laissez-les tomber sur mes épaules et mon cou, ils cacheront ma maigreur. »

Quand sa couronne fut attachée et sa robe bien étalée, elle fit dire à Blanchette d'apporter un plein panier de roses et de violettes. Blanchette entra, les yeux noyés de larmes.

« Blanchette, dit Chant-d'Oisel, tu as toujours obéi à Nénaine ; obéis-lui une dernière fois, ne pleure pas. Répands ces fleurs sur mon lit, tout autour de moi. Comme elles sont fraîches ! quel parfum ! on dirait qu'elles font de leur mieux pour m'être agréables. Les roses et les violettes ont toujours été mes préférées ; elles fleurissent juste à temps pour recevoir mes adieux. »

---

[12] Merci, Mamrie, dit Chant-d'Oisel ; maintenant allez dire à ma mère de venir, nous n'avons pas trop de temps, j'ai des difficultés à respirer ; je suis faible, faible.

On entendit du bruit dans le salon ; Chant-d'Oisel reconnut le pas de Pélasge, elle lui fit dire d'entrer.

Le juge qui accompagnait Pélasge était un ancien ami des Saint-Ybars, vénérable vieillard éprouvé, lui aussi, par un long enchaînement de malheurs.

Pour faire plaisir à Chant-d'Oisel, Pélasge avait revêtu ses habits de cérémonie. Sa figure était pâle et contractée ; on voyait qu'il faisait intérieurement d'immenses efforts pour dominer son chagrin.

Les témoins avaient signé d'avance l'acte de mariage, et se tenaient par discrétion dans le salon.

Le juge, après avoir lu l'acte de mariage, prononça une allocution toute paternelle. Sa voix était émue ; il pensait à sa propre fille morte seulement depuis un mois, à l'âge de Chant-d'Oisel.

Mme Saint-Ybars tenait les alliances, dans une petite corbeille en argent ciselé, souvenir de famille heureusement échappé aux désastres de la guerre.

Chant-d'Oisel ôta le gant de sa main gauche. Pélasge passa une bague à son annulaire. Chant-d'Oisel, à son tour, passa au doigt de Pélasge l'anneau qui lui était destiné.

La cérémonie terminée, Chant-d'Oisel parut contente malgré son extrême fatigue. Sa respiration était courte et fréquente, ses lèvres bleuissaient, une rosée froide perlait sur son front. Elle dit à Mamrie de monter sur son lit, pour lui tenir la tête haute. Mamrie s'assit à côté d'elle. Chant-d'Oisel appuya sa tête sur le sein de sa nourrice. Elle tendit la main droite à Pélasge, en disant : « Merci ». Mme Saint-Ybars, accoudée au côté opposé, lui tenait l'autre main.

Chant-d'Oisel étouffant de plus en plus, dit à Blanchette d'ouvrir partout.

Lagniape était dans un coin, répétant tout bas : « Mourir si jeune ! ».

Chant-d'Oisel regarda tout son monde, et dit :

« Vous voulez tous me faire plaisir, n'est-ce pas ? eh bien ! tâchez de retenir vos larmes. La mort est naturelle comme la vie ; un peu plus tôt, un peu plus tard, elle vient toujours. Je regrette seulement qu'elle ne me laisse pas le temps de voir Démon. Cher frère ! comme il sera triste quand il verra les résultats de cette affreuse guerre. Embrassez-le bien pour moi.

« Adieu, chère maman ; j'ai été, autant que j'ai pu, une bonne fille, bien aimante, bien respectueuse envers vous.

« Adieu, Mamrie ; vou connin, mo conté su vou pou couché moin dan mo cercueil ; li là dan lote lachambre, diboutte dan larmoir[13]. »

En effet, Chant-d'Oisel avait tout prévu, elle avait fait venir une bière de Donaldsonville. Elle reprit haleine, et continua :

« Je désire être mise dans le compartiment du tombeau où est grand-maman Saint-Ybars. »

Elle serra la main de Pélasge.

« Vous viendrez quelquefois sous le vieux sachem ? demande-t-elle.

— Quelquefois ? répondit Pélasge, non ! tous les jours.

— Merci, merci ! dit-elle en lui serrant encore la main ; et regardant le juge.

« M. Dugué, ajouta-t-elle, je ne suis pas égoïste ; j'aime trop Pélasge, pour vouloir enchaîner son avenir. Un jour cela doit être, il sera aimé d'une autre femme comme il le mérite ; plus heureuse que moi, elle vivra pour partager ses joies et ses peines. »

Pélasge secoua tristement la tête.

« Ma chère petite femme, dit-il, j'ai fini de vivre ici-bas de la vie du cœur ; le mien vous suit, gardez-le pour toujours. »

Un dernier reste de chaleur colora les joues de la moribonde ; ses yeux brillèrent ; un suave sourire flotta sur ses lèvres : on eut dit un retour de son ancienne beauté. Elle répéta plusieurs fois, dans un murmure doux et caressant, en regardant Pélasge :

« Ma chère petite femme ! oui, votre chère petite femme qui vous aime de toute son âme. »

Elle fit signe à Blanchette de venir, et lui dit :

---

[13] Adieu Mamrie ; vous savez, je compte sur vous pour me coucher dans mon cercueil. Il est là dans l'autre chambre, debout dans l'armoire.

« Blanchette, tu aimes bien Nénaine, fais-lui plaisir jusqu'à la fin ; mets-toi au piano, joue l'*Adieu* de Schubert, tout doucement. Mais auparavant, je veux serrer la main à Lagniape ; où est-elle ? »

Mamrie regardant du côté de Lagniape, lui dit :

« Vini, lapé pélé vou[14]. »

Lagniape rampa jusqu'au bord du lit. Chant-d'Oisel tendit vers elle sa main droite qui tremblait de faiblesse.

« Lagniape, dit-elle, j'ai toujours été bonne pour vous, n'est-ce pas ? je ne vous ai jamais fait de peine, je crois.

— Non, non, jamais ! » s'écria la vieille en couvrant de baisers la main de Chant-d'Oisel.

Blanchette, étouffant ses sanglots, s'assit et joua l'*Adieu* de Schubert. On écouta dans un silence religieux. À peine Blanchette avait-elle fini, qu'un moqueur vint se poser sur la fenêtre, près du piano. Il y venait souvent ; il était si familier qu'il mangeait dans la main de Chant-d'Oisel. Elle lui avait même donné un nom, celui d'Ali.

Ali allongea gracieusement son corps et sa tête, comme font les oiseaux quand ils voient quelque chose qui les étonne. Mais, ayant reconnu Chant-d'Oisel, il se prit à chanter à demi-voix ; c'était plutôt un gazouillement, comme si l'oiseau eût craint d'être indiscret en étant trop bruyant.

« Ah ! te voici, toi aussi, lui dit Chant-d'Oisel : tu veux avoir ta part dans mes dernières pensées. C'est juste ; tu m'as tenu compagnie plus d'une fois à mes heures de solitude et de tristesse. Adieu, Ali, adieu. »

Quoique la voix de Chant-d'Oisel ne fût qu'un souffle, Ali entendit son nom ; il s'envola en traversant la chambre, et passa au-dessus du lit pour sortir par la fenêtre du côté du soleil levant. Chant-d'Oisel le suivit dans la lumière rosée du matin. Son regard dirigé en haut, resta fixe. Le passage de la vie à la mort se fit si doucement

---

[14] Venez, elle vous appelle.

qu'il fut imperceptible. Mamrie ne la voyant plus respirer, et n'entendant plus battre son cœur, lui dit :

« Adieu, mo piti fie ! cé chagrin é tro travail ki tué toi[15].

— Oui, dit le juge, Mamrie a raison, Chant-d'Oisel est une victime de plus parmi tant d'autres que cette maudite guerre a entraînées à sa suite. Et quand je pense qu'avec un peu de raison et un simple sacrifice d'argent, on aurait pu s'épargner ce massacre de quatre ans et ses lamentables conséquences ! ah ! vraiment les hommes sont fous, fous et foncièrement féroces. »

---

[15] Adieu ma petite fille ! c'est le chagrin et trop de travail qui te tue.

XXXIV
Les Funérailles

Mamrie coucha Chant-d'Oisel dans sa bière, comme autrefois elle la couchait dans son berceau. Selon le vieil usage du pays, le cercueil fut placé sur une table tendue de draps blancs tombant jusque sur le plancher, et piqués de feuilles d'oranger.

Pélasge envoya des messagers à cheval sur quelques habitations voisines, pour inviter verbalement un certain nombre de familles à l'enterrement. La sœur de Mme Saint-Ybars vint dans la matinée avec ses fils et ses filles. À cinq heures et demie du soir, la maison était pleine d'invités. Un peu avant le coucher du soleil, le cortège se mit en marche. Quatre jeunes hommes, neveux de Mme Saint-Ybars, portaient la bière sur leurs épaules. Pélasge marchait immédiatement après eux, seul ; derrière lui, Mme Saint-Ybars, Mamrie et Blanchette s'avançaient de front ; puis, venaient la tante et les cousines de Chant-d'Oisel. Entre la famille et les amis, une petite charrette conduite par un vieux nègre portait Lagniape.

Dès le matin, une escouade de nègres, payée par Pélasge, s'était rendue dans les champs pour couper les grandes herbes qui encombraient le chemin.

La foule, muette et recueillie, traversait nu-tête la vaste plaine autrefois animée par les travailleurs et toute verte de cannes à sucre, maintenant déserte et envahie par des plantes sauvages.

Il y avait des absents. Les sœurs de Chant-d'Oisel avaient suivi leurs maris, dont l'un était allé tenter la fortune à San Francisco tandis que les autres étaient tous partis ensemble pour le Texas, dans le but d'y fonder une petite colonie. Ses deux frères, revenus mutilés du champ de bataille, étaient morts après la conclusion de la paix. De cette nombreuse famille il ne restait donc que Mme Saint-Ybars pour accompagner le cercueil de Chant-d'Oisel.

Le soleil était couché, quand on arriva sous le vieux sachem. Deux nègres maçons avaient ouvert le tombeau. Pélasge aida les porteurs à placer Chant-d'Oisel à côté des ossements de sa grand-mère.

Quand les maçons eurent replacé le marbre qui fermait le sépulcre, Pélasge les congédia.

La foule se retira sans bruit. Quelques personnes remarquèrent que Mlle Pulchérie n'était pas présente ; on leur apprit qu'elle s'était brouillée avec la sœur de Mme Saint-Ybars, et qu'elle tenait, à la Nouvelle-Orléans, une pension bourgeoise dont les hôtes principaux étaient des officiers de l'armée fédérale. On ajoutait que M. Héhé était son pensionnaire de fondation, qu'il occupait le haut bout de la table et découpait.

Une vieille mulâtresse, ancienne esclave des Saint-Ybars, était venue de très loin, pour assister aux funérailles de Chant-d'Oisel qu'elle appelait toujours sa petite maîtresse. Invitée par Lagniape à s'asseoir dans sa charrette, elle lui demanda des nouvelles de man Miramis et de M. Salvador. Lagniape lui apprit qu'ils étaient au Mexique, où ils se plaisaient beaucoup. Cependant, ajouta-t-elle, man Miramis aurait mieux aimé s'établir à la Havane, pour avoir des esclaves à dresser ; mais M. Salvador était un homme comme il faut, il avait préféré le Mexique, parce que c'est un pays où tout le monde est libre.

Pélasge resta sous le sachem, plongé dans son chagrin et ses sombres réflexions. La brise du soir, en gémissant dans le feuillage, attira son attention ; il releva la tête, et remarqua que beaucoup de branches du chêne étaient desséchées, et que la barbe espagnole l'envahissait de toutes parts.

« Et toi aussi, vieux colosse, tu t'en vas, dit-il ; la mort te tient dans ses griffes. Elle a déjà fait de grands trous dans ta ramée ; elle ne te lâchera plus ; elle te dévorera branche par branche ; elle pénétrera dans ta tige énorme, et descendra jusque dans tes racines ; un suaire de mousse couvrira ton cadavre. Hélas ! que veux-tu, tout n'a qu'un temps ; tout meurt, tout disparaît, c'est la loi. La terre elle-même, berceau et tombeau de tant d'êtres, aura sa fin. Une nuit viendra, nuit lugubre et glacée, où l'humanité, réduite à un petit nombre de familles, attendra vainement le retour du soleil, et sera ensevelie sous une pluie de neige. Mais qu'importe ? tu mourras content, toi ; tu auras vécu aussi longtemps que ton espèce peut vivre. Mais qui me dira, à moi, pourquoi cette charmante enfant que je viens de mettre là, est morte à la fleur de l'âge, au seuil même du bonheur ? qui me prouvera que cela est juste, que cela est bon ? Je suis bien obligé de reconnaître que la force des choses qui m'accable, est plus puissante que moi, et qu'en définitive il faut que je me résigne à ses coups inexplicables. Mais de ce que je ne comprends pas que le fait qui me plonge dans le désespoir puisse être juste, dois-je conclure qu'il est nécessairement juste ? non ; je ne connais qu'une justice : s'il y en a deux, où est l'autre ? qui l'a vue ? qui la connaît ? Cette autre justice, arbitrairement appelée divine, l'homme l'a rêvée pour expliquer sa misérable destinée, et son triste rêve n'explique rien. »

Il regarda le tombeau encore une fois, soupira et sortit en marchant lentement.

XXXV
Effets du malheur

Pendant six mois, la maison où Chant-d'Oisel était morte, parut inhabitée, tant elle était silencieuse. Mme Saint-Ybars ne parlait presque plus ; elle avait entièrement perdu la faculté d'avoir de nouvelles idées ; elle tournait sans fin dans le cercle noir de ses souvenirs ; étrangère au monde des vivants, elle vivait avec des morts, elle ne voyait qu'eux, elle n'entendait que leurs voix. Pour elle ils étaient la réalité ; Pélasge, Mamrie, Blanchette et Lagniape étaient des ombres qui passaient et repassaient devant elle, dans un brouillard. On ne pouvait attirer son attention qu'en la secouant par le bras, et en parlant très fort. Elle faisait peur à Blanchette, surtout quand elle fixait sur elle son regard qui ressemblait à celui d'une personne dormant les yeux ouverts.

Blanchette avait seize ans. Naturellement enjouée, elle aurait rayonné comme une belle matinée de printemps, sans la présence de cette malheureuse vieille femme, qui tantôt excitait sa compassion, et tantôt la faisait trembler de tous ses membres.

Quand on adressait des questions à Mme Saint-Ybars, elle ne répondait que par monosyllabes. Mais il y avait deux mots qu'elle répétait spontanément, d'une voix dolente, la nuit comme le jour, avec la régularité d'une horloge. Qu'elle fût éveillée ou endormie, on était sûr, toutes les heures, d'entendre ces deux mots sortir de sa bouche : « Silence ! repos ! ». Ils résonnaient comme un glas dans le silence de la maison. Mme Saint-Ybars ressemblait à une morte qui n'a pas trouvé la paix dans le tombeau, et qui la demande. Aussi, quand Blanchette la voyait plongée dans ses longs silences, elle traversait les appartements sur la pointe du pied ; elle posait ou prenait les objets le plus doucement possible, elle osait à peine respirer.

Pélasge ne paraissait guère qu'aux repas. Cependant, prenant pitié de Blanchette, il la faisait sortir aussi souvent que possible. Dehors, elle n'était plus la même ; sa gaîté naturelle l'emportant, elle courait, elle pirouettait, elle sautait, enivrée de lumière et de liberté. Dans la compagnie de cette fée turbulente et étincelante, des éclairs de joie traversaient la mélancolie de Pélasge. Blanchette était prise de rires incoercibles ; elle riait de ses propres folies, agaçant Pélasge, le mettant au défi de l'atteindre à la course ; puis, elle lui demandait pardon de son impertinence, se pendait à son cou et l'appelait son cher petit papa.

Depuis quelque temps, à la suite de violents maux de tête, la vue de Mamrie baissait d'une manière inquiétante. Rien ne fut négligé, pour arrêter la paralysie qui envahissait ses rétines. Le mal poursuivit sa marche d'un mouvement inexorable : vers la fin de septembre, Mamrie était aveugle. Elle accepta son malheur avec résignation. Une fois seulement, il lui arriva de dire que le bon Dieu était bien dur pour elle ; qu'il aurait dû au moins lui laisser le temps de revoir Démon. Elle continua de travailler ; elle nettoyait les couverts, moulait le café, pilait le maïs, râpait les pommes de terre, enfin rendait une foule de petits services qui l'occupaient si bien qu'elle ne perdait pas une heure dans toute sa journée. Quelquefois, au coucher du soleil, quand elle voulait respirer le grand air, elle invoquait le secours de Blanchette. Blanchette était bonne ; le plus souvent elle devançait Mamrie, en lui proposant de faire une promenade. Mamrie appuyait une main sur l'épaule de Blanchette, et Blanchette avançait la première d'un pas lent et réglé. Elles causaient. Blanchette aimait beaucoup à causer avec Mamrie ; elle la questionnait sur le temps passé, le bon vieux temps, comme elle disait, celui de son enfance. Démon et Chant-d'Oisel occupaient nécessairement une grande place dans tout ce que disait Mamrie. Les entretiens de Mamrie et de Blanchette finissaient toujours par Démon ; il arrivait bientôt, au plus tard dans les premiers jours de novembre ; naturellement elles ne pouvaient s'empêcher de se communiquer la joie que leur causait la perspective de son retour. Mais Blanchette revenait toujours à la question qu'elle s'était faite à elle-même, tant de fois, en regardant le portrait de son parrain : « Pourquoi a-t-il l'air si triste ? ». Elle la posa de nouveau à Mamrie, en ajoutant cette remarque : « Parrain a toujours l'air de froncer le sourcil. » Mamrie soupira profondément, et dit que cela tenait à une blessure qu'il s'était faite vers l'âge de treize ans. Blanchette voulut savoir comment l'accident était arrivé ; Mamrie, par respect pour la mémoire de son ancien maître, éluda la question.

XXXVI
Retour de Démon

Le 31 octobre, dès six heures du matin, il y avait une animation inaccoutumée dans l'ancienne maison de Vieumaite. On attendait Démon ; il était arrivé à la Nouvelle-Orléans, d'où il avait écrit. On l'attendait à huit heures. Blanchette s'était levée la première, pour faire le café. Mamrie allait et venait, en tâtonnant et en renversant des chaises. Lagniape faisait des prodiges de vivacité ; elle glissait d'une pièce à une autre avec des mouvements de couleuvre en fuite. Mme Saint-Ybars, ahurie et effrayée, faisait d'incroyables efforts pour comprendre ce qu'on cherchait à lui expliquer. « Oui, disait-elle, j'entends bien : Démon est mon fils ; où est-il ! »

On lui répétait :

« Il arrive aujourd'hui, ce matin, à huit heures.

— Ah ! il est huit heures, murmurait-elle ; déjà ! Mais non ; nous ne sommes pas encore à aujourd'hui, il est encore hier. »

Et elle reprenait son lamentable refrain : « Silence ! repos ! ».

Après le café, Pélasge sortit. Il devait d'abord donner un coup d'œil à son magasin ; ensuite, il allait à la rencontre de Démon.

Le bateau s'arrêtait toujours à l'ancien wharf de l'habitation.

Sans perdre une minute, Mamrie et Blanchette se mirent aussi en route. Lagniape fut chargée de veiller sur Mme Saint-Ybars. Blanchette prit par la plaine ; elle gagna le grand chemin, qui jadis traversait les champs de cannes à sucre parallèlement au fleuve. Elle et Mamrie portaient le deuil de Chant-d'Oisel. La couleur du costume de Blanchette faisait ressortir sa peau blanche et rosée. Sa robe noire garnie de crêpe transparente, légère comme un souffle, s'harmonisait admirablement avec son corps délicat et souple. À voir Blanchette, on eût dit que la nature, en la créant, s'était plu à composer le modèle le plus fin et le plus frêle de l'espèce humaine. Elle ressemblait à ces petites libellules qui flottent dans l'air, sans prendre la peine de voler, tant elles sont légères. De ses cheveux dorés et chatoyants, de ses yeux d'azur, de sa petite bouche, de son sourire, se dégageaient des effets de lumière qui rappelaient les pierres précieuses. Elle avait une voix fraîche et argentine ; en parlant elle chantait un peu comme toutes les jeunes Louisianaises, surtout celles de la campagne.

Depuis que Mamrie était aveugle, sa physionomie avait changé ; une douce tristesse en avait remplacé l'ancienne gaîté. Quand elle levait ses yeux, comme pour chercher la lumière, elle éprouvait une sensation agréable si le temps était beau ; ses ténèbres se changeaient en une nuit rouge, dans laquelle les gros objets s'estompaient vaguement comme des ombres fuyantes.

En traversant la plaine, Mamrie roula en l'air ses grands yeux toujours expressifs, et dit :

« Pa gagnin nuage bon matin[1].

— Cé vrai, répondit Blanchette, fé ain tan superbe pou parrain rivé[2].

— Atanne, reprit Mamrie, kichoge apé pacé dans ciel comme ain gran riban noir : ki ci ça[3] ?

— Cé ain bande zozo sauvage, répondit Blanchette[4].

— Cé signe liver pa loin, remarqua Mamrie ; mo contan pou Démon ; li linmin tan frette plice pacé tan cho[5]. »

Elles passèrent devant les ruines de la maison, et entrèrent dans la grande avenue qui conduisait au fleuve. Le ronflement lointain du bateau s'entendait. Mamrie et Blanchette, par moments, avançaient avec peine ; le chemin était encombré de bois mort ; dans certains

---

[1] Il n'y a pas de nuages ce bon matin.

[2] C'est vrai, répondit Blanchette, il fait un temps superbe pour l'arrivée du parrain.

[3] Attends, reprit Mamrie, quelque chose passe dans le ciel comme un grand ruban noir : qu'est-ce c'est que ça ?

[4] C'est une bande d'oiseaux sauvages, répondit Blanchette.

[5] C'est un signe que l'hiver n'est pas loin, remarqua Mamrie, je suis contente pour Démon ; il aime le temps froid plus que le temps chaud.

endroits, des chênes déracinés barraient le passage, il fallait faire un demi-tour.

À l'arrivée du bateau, Pélasge reconnut immédiatement Démon parmi les dix ou douze passagers qui débarquèrent. En voyant s'avancer un grand et beau jeune homme, qui portait la tête haute comme tous les Saint-Ybars, il alla droit à lui. De son côté Démon reconnut son ancien professeur dans l'homme qui venait à sa rencontre, malgré les changements que les années et le chagrin avaient produits dans sa personne. Ils s'embrassèrent comme deux frères.

Deux voyageurs descendus en même temps que Démon, saluèrent Pélasge en passant ; il leur rendit leur salut si froidement, que Démon parut surpris.

« Je vois que vous ne les reconnaissez pas, dit Pélasge. Le plus âgé, le plus gros, est votre ancien précepteur, M. Héhé ; l'autre est le jeune quarteron que votre père gâtait tant, et que votre grand-père avait surnommé M. le duc de Lauzun. Je crois vous avoir dit, dans une de mes lettres, que leur premier acte, à l'arrivée des Fédéraux, avait été de se jeter à leurs pieds. On les soupçonne d'avoir dénoncé votre père. Ils ne vous ont pas reconnu ; autrement, ils seraient venus à vous, croyant vous faire beaucoup d'honneur ; car, aujourd'hui, ce sont de grands personnages politiques. Lorsqu'ils sauront qui vous êtes, ils viendront certainement vous voir, quand ce ne serait que pour étaler leur importance à vos yeux. Ce sont deux hommes dangereux, surtout M. de Lauzun ; il est haineux et vindicatif. De superstitieux qu'il était, il est devenu sceptique et ergoteur ; il se vante même de ses vices et de ses accrocs à la probité. Comme vous voyez, il a prospéré : il porte trois épinglettes à sa chemise ; il a une montre et une chaîne en or, trois ou quatre bagues à chaque main, une canne à pomme d'or ; et voyez avec quelle désinvolture il fume son cigare de la Havane. Il vient ici en tournée politique. Il parle avec facilité. Tout ce qui sort de sa bouche est article de foi pour les nègres. Lui, comme tous les politiciens, il n'a qu'une chose en vue, attraper de l'argent. Il n'est ni estimé ni aimé même des gens de sa classe ; mais on le recherche, parce qu'il procure des places à ses flatteurs.

« Quant à M. Héhé, c'est toujours le gros pédant, égoïste et gourmand, que vous avez connu. Il a tripoté avec les officiers fédéraux, il tripote avec M. de Lauzun. Il est riche. Il parle de se retirer. On assure qu'il va se fixer à Paris, où il espère faire figure dans la colonie américaine. »

Pélasge et Démon, tout en causant, étaient entrés dans la grande avenue. La charrette dans laquelle les malles de Démon avaient été placées, suivit la voie publique.

Démon eut un serrement de cœur, en voyant partout autour de lui des traces d'abandon et de désordre, et en songeant que cette terre sur laquelle il marchait était séquestrée. Heureusement, Blanchette et Mamrie vinrent changer le cours de ses idées. Du plus loin que Blanchette le vit avec Pélasge, elle se prit à courir, sans entendre les cris de Mamrie qui lui disait de ne pas l'abandonner. Démon ouvrit les bras pour la recevoir ; elle s'y jeta en criant : « Parrain ! Parrain ! » et elle couvrit ses lèvres de baisers.

Mamrie s'avançait et agitait ses bras, comme quelqu'un qui cherche dans l'obscurité.

« Démon, mo cher piti, criait-elle, coté to yé[6] ? »

Elle sentit tout à coup deux bras vigoureux l'envelopper et la serrer. Revenue de sa première émotion, elle promena ses mains sur la tête de Démon, sur ses épaules et ses bras.

« To ain bel homme asteur[7] », dit-elle.

Revenant à son visage, elle toucha sa barbe, ses tempes, son front. Entre les sourcils, ses doigts rencontrèrent une saillie plus dure que le reste de sa peau ; c'était la cicatrice, elle montait et se perdait insensiblement au milieu du front. Elle rappelait une bien triste journée. Mamrie soupira. Démon dit :

---

[6] Démon, mon cher petit, criait-elle, où es-tu ?

[7] Tu es un bel homme maintenant.

« Mamrie, pourquoi penser à cela ? laisse, il y a des souvenirs qu'il ne faut jamais remuer ; ils sont comme les morts qu'on doit laisser dormir tranquillement.

— Ça cé bien vrai, répondit Mamrie ; tan pacé gardé so chagrin ; tan prézan gagnin acé comme ça avé so kenne. Mo fi, ta trouvé tou bien changé. Mé mo pa changé, moin ; ta trouvé même Mamrie to té linmin dans tan lé zote foi. To linmin li toujour, èce pa[8] !

— Si je t'aime toujours ! dit Démon, en la pressant de nouveau sur son cœur ; plus que jamais, bonne Mamrie. Tu nous as nourris de ton lait, Chant-d'Oisel et moi ; tu as veillé sur notre enfance avec une tendresse de mère ; tu es restée esclave, quand tu pouvais être libre, pour être toujours près de nous. Quand le malheur et la ruine sont venus fondre sur ma famille, tu ne t'es pas éloignée d'elle. Tu pouvais, après l'abolition de l'esclavage, gagner ta vie en travaillant où bon t'aurait semblé, et avoir du temps de reste. Tu as préféré partager la gêne et les souffrances de ma mère et de Chant-d'Oisel. Tu ne t'en es séparée qu'à cause de moi ; tu m'as donné ton temps et ta peine ; tu t'es imposé des privations, pour m'envoyer de l'argent à Paris. Mamrie, tu es une sainte ; non seulement je t'aime toujours, mais j'ai pour toi autant de respect que de reconnaissance.

— Pé donc ! pa parlé comme ça, dit Mamrie ; mo fé ça mo té doi fé. To blié parlé créol ; mo oua ça ; tapé parlé gran bo langage de France ; épi asteur, effronté, to tutéié to Mamrie. Mo palé grondé toi pou ça ; an contraire, ça fé moin plésir to tutéié moin, to acé gran pou ça[9]. »

---

[8] Ça c'est bien vrai, répondit Mamrie ; le temps passé garde ses chagrins ; le temps présent en a assez comme ça avec les siens. Mon fils, tu trouveras tout bien changé. Mais, je n'ai pas changé, moi ; tu retrouveras la même Mamrie que tu aimais autrefois. Tu m'aimes toujours, n'est-ce pas ?

[9] Paix donc ! Ne parle pas ainsi, dit Mamrie ; j'ai fait ce que j'ai dû faire. Tu as oublié le créole ; je vois ça ; tu parles le grand beau langage de France, et puis, maintenant, effronté, tu tutoies ta Mamrie. Je ne te gronderai pas pour ça ; au contraire, ça me fait plaisir que tu me tutoies, tu es assez âgé pour ça.

Pélasge et Démon prirent les devants. En passant près des ruines de la maison paternelle et de ses dépendances, Démon fit une petite halte. Ses yeux se remplirent de larmes ; Pélasge lui serra la main.

« Ami, dit Démon, sachez-le bien : je pleure, non point la maison, mais les personnes que j'y ai aimées et qui ne sont plus. Les conditions sociales au milieu desquelles je suis né, reposaient sur une violation flagrante du droit humain. Elles devaient nécessairement disparaître ; elles ont disparu, en entraînant dans l'abîme ma part de l'héritage paternel. Je m'en console ; que dis-je ? je m'en réjouis. J'ai rougi plus d'une fois, quand je pensais à la source d'où venait l'argent que je dépensais. Que la pauvreté soit la bienvenue ; je lui dois le calme de ma conscience et le respect de moi-même. Et à vous je dois, ami, la révélation d'une vérité qui rend l'homme fort et fier. C'est vous qui m'avez appris que le travail est la loi fondamentale de l'humanité, et que sans lui il n'y a pas de bonheur réel. »

XXXVII
Mère et Fils

La route était assez longue ; mais Démon ne s'en aperçut pas, absorbé qu'il était dans un entretien qui à chaque pas lui apprenait quelque chose d'intéressant. En arrivant, Pélasge lui dit :

« Laissez-moi entrer le premier, je vous annoncerai ; contenez-vous de votre mieux. Le chagrin a beaucoup affaibli la tête de votre mère ; une émotion trop brusque pourrait lui faire beaucoup de mal. »

Ils entrèrent. Démon resta dans la salle à manger. Mme Saint-Ybars était au salon, assise dans un fauteuil, les mains sur les genoux. Lagniape, ses grosses lunettes d'argent sur le nez, cousait dans le jour d'une fenêtre. Démon frissonna en entendant la voix de sa mère ; elle répétait, sur le ton de la plainte et de la prière, sa mélancolique ritournelle : « Silence ! repos ! ».

Pélasge annonça à Mme Saint-Ybars l'arrivée de son fils.

« Il est là, ce cher enfant, dit-elle ; alors, qu'il vienne. »

Démon entra. Sa mère avait horriblement vieilli ; tous ses traits étaient empreints d'une tristesse désolée. La commotion qu'il éprouva fut telle, qu'il s'arrêta à moitié chemin. Pélasge s'approcha, et lui dit tout bas :

« Allons, Démon, du courage ! »

Démon s'agenouilla devant sa mère, et lui dit :

« C'est moi, chère maman, moi Démon, votre dernier fils, votre Benjamin, le jumeau de Chant-d'Oisel.

— Démon ? soupira Mme Saint-Ybars, Démon et Chant-d'Oisel ? mais elle est partie, Chant-d'Oisel.

— Et moi je reviens pour vous consoler, pour vous aimer, reprit Démon ; reconnaissez-moi, chère maman, je suis Démon, regardez-moi bien. »

Mme Saint-Ybars posa ses mains sur les épaules de son fils, et le regarda longtemps. À force de tendre le peu de volonté qui lui restait, elle ressaisit le fil de ses souvenirs ; l'intelligence reparut graduellement sur sa physionomie, comme une lumière lointaine qui grandit dans les ténèbres en approchant.

« Oui, dit-elle, tu es bien un Saint-Ybars ; tu es le portrait de ton père. Tu tiens de moi aussi ; voilà bien mes yeux d'autrefois, quand j'étais jeune et belle ; voilà le front de ma famille. »

Elle s'arrêta ; elle regardait la cicatrice. Son visage se rembrunit ; puis, elle fit un geste comme pour chasser un souvenir déplaisant.

« Mon fils, recommença-t-elle, ton père avait de belles qualités comme beaucoup d'hommes n'en ont pas ; nous devons chérir sa mémoire.

— Oui, ma mère, je la chéris, je la respecte.

— C'est très bien, mon enfant, embrasse ta vieille mère. »

Démon embrassa sa mère, et lui dit en la pressant sur sa poitrine :

« Je sais ce qu'il vous faut ; vous voulez du silence et du repos : vous serez satisfaite. Nous sommes très bien ici, dans la maison de mon grand-père ; il l'avait bâtie pour avoir, lui aussi, cette paix que l'on aime quand on a atteint la vieillesse. Ne vous inquiétez de rien, j'aime le travail, je ferai rapporter à ce petit domaine tout ce qu'il vous faut pour bien vivre. Blanchette veillera sur vous comme une fille dévouée, et cette bonne Lagniape qui n'a pas perdu, je pense, son amusant babil d'autrefois, vous tiendra compagnie. »

Il se leva pour aller serrer la main de Lagniape.

« Vous ne m'avez donc pas oubliée ? dit la vieille ; ah ! je vous reconnais bien là, toujours bon, toujours compatissant. Merci, M. Démon ; que le bonheur revienne ici avec vous, nous en avons grand besoin. »

Avec Démon la vie sembla rentrer dans la maison de Vieumaite ; il voulut tout voir ; il montait, descendait, remontait, posant des questions, se faisant tout expliquer. Quand Blanchette rentra, sa gaîté s'ajoutant à l'animation de Démon, les appartements prirent un air de fête. On eût dit qu'un esprit nouveau agitait toutes les têtes. Pélasge se sentait rajeuni de dix années ; Mamrie et Lagniape allaient et venaient, trébuchant, riant de leurs propres gaucheries, et dépensant des torrents de paroles. Mme Saint-Ybars semblait sortir d'une longue léthargie ; elle voulut avoir sa part dans tout ce qui se faisait pour fêter le retour de son fils. Au dîner, elle parla comme elle n'avait pas fait depuis la mort de Chant-d'Oisel ; plusieurs fois même elle s'exalta, ses yeux éteints se rallumèrent, un retour de chaleur colora ses pommettes flétries. Dans la soirée elle posa des questions à Démon, et fit plusieurs remarques d'une grande justesse. Du reste, elle se retira d'assez bonne heure ; elle se sentait fatiguée. En se couchant elle dit à Blanchette que la tête lui bouillait, mais que cela se passerait en dormant.

XXXVIII
Démon s'informe de l'état présent du pays

La nuit était fraîche et resplendissante. Pélasge et Démon sortirent, pour causer en se promenant. Démon demanda des renseignements sur l'état présent du pays.

« Nous traversons une phase difficile, répondit Pélasge ; la guerre nous a laissé à résoudre un problème, d'autant plus embarrassant qu'il nous prend à l'improviste ; je parle de la réorganisation du travail. Peut-être en viendrait-on à bout, sans les complications de la politique. Malheureusement des aventuriers, accourus en foule du Nord, se sont constitués les tuteurs des affranchis, et ont fait alliance avec les gens de couleur. Vous n'avez pas oublié, je pense, ce que l'on entend ici par gens de couleur. Arbitres naturels entre les blancs et les noirs, beaucoup d'entre eux étaient libres avant la guerre, jouissant d'une certaine fortune, éclairés, représentant un chiffre important de familles honorables. Dans leur conviction ils forment, à l'égard du noir, une aristocratie. Ils n'ont pas tort en cela, si l'aristocratie consiste à être plus aisé et plus instruit que la masse, à avoir des mœurs plus régulières et plus raffinées qu'elle. Ils tendent, par un mouvement instinctif, à se rapprocher des blancs. On pourrait, à l'aide de quelques concessions peu coûteuses, s'assurer leurs sympathies et leur coopération pour reconstruire le travail en Louisiane. Car enfin, que demandent-ils ? simplement ce qu'ils appellent l'égalité publique, c'est-à-dire leur place à côté des blancs au théâtre, au concert, au restaurant, dans les bateaux à vapeur, etc. Quant à l'égalité sociale proprement dite, ou en d'autres termes, pour ce qui concerne les relations de la vie intérieure, ils sont les premiers à reconnaître que c'est là une affaire de conscience et de goût, dans laquelle tous doivent respecter religieusement, d'un côté comme de l'autre, le libre arbitre de chacun.

« La population blanche veut reprendre son ancienne suprématie dans les affaires de l'État ; les gens de couleur et les nègres, conseillés par leurs alliés du Nord, la lui disputent. Il en résulte de violentes animosités, des rixes sanglantes, des combats dans lesquels le nombre des tués est toujours plus grand parmi les nègres. En un mot, nous sommes menacés d'une nouvelle guerre civile compliquée d'une guerre sociale.

« Un des effets les plus déplorables de cet état de choses, est la recrudescence des préjugés et des haines de races. Vous constaterez même que l'esprit de caste est plus prononcé qu'il ne l'était du temps de l'esclavage.

« La guerre n'a été que le prélude de la révolution politique et sociale qui devait changer nos conditions d'existence. C'est maintenant que cette révolution se fait. Or, vous le savez, rien ne ressemble plus à la mort que les changements de vie ; on croirait, à voir ce qui se passe, que la Louisiane va s'engloutir dans un abîme de sang et de ruines. La coalition qui porte le nom de parti républicain, déclare qu'il faut anéantir l'ancienne aristocratie blanche ; de leur côté les anciens possesseurs d'esclaves cherchent à supprimer les nègres et à les remplacer par des Chinois. Vous serez étonné de la désinvolture avec laquelle, dans ce pays de démocratie, on parle d'exterminer des classes entières de citoyens ; vous croirez être en Turquie ou en Russie.

« Où est le remède ? je vous dirai franchement ce que j'en pense.

« Le temps et l'expérience ont prouvé que les nègres étaient, au moins jusqu'à nouvel ordre, les travailleurs les plus efficaces dans un climat comme celui de la Louisiane. Loin de se réjouir d'en voir diminuer le nombre, comme font certaines personnes, on devrait souhaiter qu'il augmentât. Pour cela, que faut-il faire ? éclairer le nègre, développer chez lui l'esprit de famille. S'il continue à être tué en détail, à chaque élection, ou à se suicider au cabaret ; si les jeunes négresses persistent à ne pas devenir mères, et à affluer dans les villes pour y vivre de prostitution, la race noire s'éteindra en Louisiane comme la race rouge.

« On parle d'immigration européenne : je ne la vois pas venir. L'étranger sait que la fièvre jaune se répand aujourd'hui dans les campagnes ; pour qu'il en bravât le péril, il faudrait lui assurer de bien grands avantages.

« En attendant, le nègre est le vrai paysan de la Louisiane. Nous avons vécu avec lui esclave ; pourquoi ne vivrait-on pas avec lui libre ? Il n'est pas méchant, on l'a bien vu pendant la guerre ; il pouvait, avec impunité, faire un mal énorme à ses anciens maîtres ; non seulement il ne l'a point fait spontanément, mais il n'a pas écouté les mauvais conseillers qui l'y poussaient.

« Pour moi la race noire est de beaucoup supérieure à la race rouge du territoire occupé aujourd'hui par les États-Unis. Elle est douce et civilisable, elle s'habitue facilement au travail, elle montre un grand désir d'apprendre ; elle est affectueuse et compatissante. Mais j'oublie que vous êtes créole ; vous savez mieux que moi tout ce qu'il y a de bon dans la race à laquelle appartient Mamrie. Quant aux gens de couleur, ce n'est pas vous qui les proscririez. Au fond, la plupart des Louisianais sentent et pensent comme vous et moi ; mais ils n'ont pas le courage de le dire : tels de nos vaillants jeunes hommes ont affronté, pendant quatre ans, la mort sur les champs de bataille, qui sont saisis d'une peur superstitieuse devant les fantômes de l'ignorance et de l'orgueil. »

L'entretien de Pélasge et de Démon se prolongea bien avant dans la nuit. Enfin, ils se séparèrent ; Pélasge se rendit à la ferme, Démon alla prendre possession du lit de Vieumaite.

Comme les pythagoriciens, Démon avait l'habitude, avant de se coucher, de récapituler mentalement les faits du jour écoulé, et d'écrire brièvement les réflexions qui lui étaient venues à leur suite. C'est ce qu'il fit, en s'asseyant à cette grande table éclairée par la même lampe qui avait tant de fois servi aux veillées laborieuses de son grand-père.

« Ainsi, dit-il en finissant, cette maison est tout ce qui reste de notre brillante fortune, et je suis le dernier des Saint-Ybars. »

Comme il s'étendait sur ce lit où Vieumaite reposait jadis, ses souvenirs d'enfance lui revinrent en foule. Qui lui eût dit, le jour de son départ de l'habitation, qu'à son retour il ne retrouverait que sa mère ! Ses réflexions l'empêchaient de s'endormir ; heureusement, la jolie et souriante figure de Blanchette apparut comme une lumière sur le fond noir de ses pensées. Il ne vit plus qu'elle, et quand enfin le sommeil s'empara de lui, il continua de la voir dans un rêve.

Quatrième partie

XXXIX
Le Lendemain

À sept heures du matin, Démon dormait encore. Pélasge, qui arrivait de la ferme, fut d'avis de ne pas interrompre son sommeil, dût-on retarder le déjeuner.

Blanchette, comme d'habitude, entra dans la chambre de Mme Saint-Ybars. Étonnée de ne pas voir la mère de Démon debout et déjà habillée, elle regarda du côté du lit. Mme Saint-Ybars paraissait dormir. Cependant, Blanchette trouva qu'elle était bien pâle. Elle approcha et écouta ; elle n'entendit pas le souffle de la respiration. Alors, toute tremblante, elle posa sa main sur la joue de Mme Saint-Ybars. Elle recula en chancelant.

Pélasge était sur la galerie de devant, respirant l'air frais qui venait du fleuve, et lisant un journal. Une main le prit par le bras ; il leva les yeux : la figure bouleversée de Blanchette lui porta un coup au cœur.

« Qu'est-ce donc ? demanda-t-il, qu'as-tu, Blanchette ? »

Incapable d'articuler une parole, elle l'attira à elle, et le conduisit dans la chambre. Pélasge toucha le corps de Mme Saint-Ybars ; il était raide et froid. La mort avait dû la surprendre dès le commencement de la nuit. Quel coup pour Démon à son réveil ! rien que d'y penser, Pélasge se sentit brisé comme si la maison se fût écroulée sur lui.

Démon supporta ce nouveau malheur avec une fermeté virile. Pas une plainte ne sortit de sa bouche, pas un cri de colère contre le sort qui semblait le poursuivre avec un acharnement implacable. Seulement il lui en resta une sombre tristesse. Pélasge eût voulu adoucir son chagrin ; mais comme Démon ne parlait jamais de la mort de sa mère, personne n'y faisait allusion devant lui. L'attitude de Démon donnait du souci à Pélasge. Tous les Saint-Ybars avaient manifesté, plus ou moins, un penchant à la superstition : Vieumaite seul avait fait exception à cette règle. Pélasge craignait que ce défaut de famille n'existât aussi chez Démon. Il soupçonna que son jeune ami se croyait sous le coup d'une fatalité inexorable. Il ne se trompait pas : Démon avait des pressentiments lugubres ; s'il les taisait, c'était par fierté ; il n'eût voulu, pour rien au monde, s'exposer à s'entendre dire qu'il y avait là une faiblesse d'esprit ou un manque de caractère. Dans le secret de sa pensée il ne douta plus qu'il ne fût né pour le malheur ; il se raidit intérieurement contre la mauvaise volonté du sort, et attendit ses nouveaux coups dans un silence stoïque.

XL
Blanchette console Démon

Il n'y avait que Blanchette qui osât attaquer la mélancolie de Démon. Elle s'y prenait indirectement et très adroitement. Elle avait souvent entendu parler de la puissance extraordinaire de la musique sur les Saint-Ybars, mais particulièrement sur Démon. Pour consoler son parrain, elle résolut d'avoir recours à son piano, dès qu'elle pourrait s'y remettre sans blesser les convenances. Elle consulta Pélasge ; sur ce qu'il lui répondit, elle pensa qu'elle pouvait reprendre sa musique. En effet, le piano n'était pas pour elle une simple affaire d'agrément ; Chant-d'Oisel l'avait habituée à le considérer comme un gagne-pain, en cas de nécessité. Blanchette, malgré sa gaîté d'enfant et ses airs de petite folle, était une jeune fille laborieuse qui savait, au besoin, parler raison aussi bien que les personnes les plus sérieuses parmi celles de son âge. Elle avait toujours eu une facilité étonnante à apprendre, et une mémoire vraiment merveilleuse ; elle jouait tout par cœur, même les sonates les plus difficiles et les plus longues. Elle demanda gracieusement à son parrain la permission de reprendre ses études. Il y avait six semaines que Mme Saint-Ybars était morte. Démon consentit à la demande de Blanchette. La première fois qu'il l'entendit, il fut aussi surpris que charmé ; il n'en revenait pas ; il dit à Pélasge :

« Savez-vous que Blanchette est une jeune personne extraordinaire ? quelle facilité et quelle netteté ! elle tire de son piano un volume de son vraiment étonnant, et elle a autant d'expression qu'une femme de trente ans. Voyez-vous cela ! elle interprète Weber et Beethoven comme si elle avait composé leur musique. Je n'ai rien entendu de pareil à Paris ; je fréquentais pourtant beaucoup les concerts. »

Toutes les fois que Blanchette s'asseyait à son piano, elle était sûre de voir Démon entrer dans le salon. Alors, sous prétexte de lui faire entendre des œuvres allemandes, hongroises ou russes qu'il ne connaissait pas, elle jouait des morceaux appropriés à l'état de son esprit. Peu à peu la tristesse de Démon faisait place à une douce rêverie ; une disposition à s'épancher s'emparait de lui. Blanchette allait à lui, et prenant son bras :

« Parrain, disait-elle, voulez-vous que nous fassions une promenade ? j'ai bien envie de respirer le grand air. »

Ils sortaient, marchant au hasard, absorbés dans l'échange de pensées intimes qui les rendaient de plus en plus chers l'un à l'autre. Pour Blanchette, voir Démon et l'aimer c'avait été une seule et même chose. Elle l'aimait même avant son arrivée ; on avait si souvent parlé devant elle de son excellent cœur, et elle avait eu tant de fois l'occasion d'apprendre à le connaître, en écoutant lire les lettres qu'il écrivait. Il était bien tel qu'elle l'avait vu en esprit ; c'était bien le même regard vif et doux, la même voix, le même sourire, le même air distingué, la même manière de marcher. Aimer Démon en sa présence comme elle l'avait aimé de loin, était une chose toute simple, qui allait de soi, si naturelle enfin qu'elle lui disait sans cesse qu'elle l'aimait bien, qu'elle donnerait sa vie pour qu'il fût heureux.

Démon était comme quelqu'un qui s'est entièrement retiré du monde ; seul avec Blanchette, il était suspendu dans une sorte de somnambulisme, où il se sentait vivre d'une vie délicieuse. C'était pour lui la vraie vie, la vie du cœur et de la pensée. Le passé, avec ses souffrances et ses tristesses, lui paraissait comme une nuit lointaine, nuit traversée de spectres sinistres, reculant et s'effaçant devant une lumière qui s'étendait autour de lui et de Blanchette. Il avait oublié la douleur ; il ne s'en souvenait que lorsque Blanchette n'était pas près de lui. Il éprouvait alors un malaise que l'on pourrait comparer à celui d'une personne cherchant, dans un songe, sa vie qui s'est séparée de son corps.

Démon s'était repris d'attachement pour sa terre natale ; la maison de son grand-père lui paraissait le meilleur endroit du monde pour vivre heureux avec Blanchette. Elle serait sa femme dès que la fin de son deuil aurait dissipé la dernière ombre placée entre eux et le bonheur. En attendant, ils travaillaient ensemble à l'embellissement de la maison et du jardin, ils faisaient ensemble de beaux projets. Au milieu du jour, quand l'ardeur du soleil les empêchait de sortir, ils s'asseyaient sur la galerie, à l'ombre des grands rideaux, et lisaient à haute voix, chacun à son tour. Ensuite, ils descendaient au salon ; là ils se berçaient de musique, là ils se disaient, dans le divin langage des sons, ces choses profondes et mystérieuses que la mélodie et l'harmonie peuvent seules exprimer. Le soir, ils contemplaient ensemble l'immensité semée d'étoiles, les masses sombres de l'horizon, et ce grand fleuve serpentant majestueusement dans le silence, reflétant la lumière opaline du ciel, répandant une fraîcheur salutaire sur les campagnes endormies ; ils s'envolaient ensemble dans l'espace sans bornes, sur les ailes de la rêverie et de l'espérance, ils se perdaient ensemble dans l'infini de l'amour. Ils oubliaient qu'il y a une chaîne qui nous tient tous attachés à la terre, à quelque hauteur que l'on s'élève par l'esprit et le cœur, et que le malheur est le roc inébranlable auquel cette chaîne est rivée.

Cette vie d'enchantement durait depuis six mois : rien n'en troublait le cours, sauf les visites que Démon et Blanchette recevaient de loin en loin, et qu'ils étaient obligés de rendre. Ces visites à recevoir et à rendre, étaient un supplice pour Démon ; mais à peine avait-il repris sa liberté, qu'il oubliait les personnes qu'il avait vues ; tant il s'empressait de se replonger dans le monde d'extase où Blanchette était tout pour lui, et lui tout pour elle !

Pélasge, Mamrie et Lagniape étaient heureux du bonheur de Démon et de Blanchette ; ils le protégeaient autant qu'ils pouvaient contre les importunités des oisifs et des indiscrets.

Démon se souvenait, malgré lui, que deux ou trois fois M. Héhé et M. le duc de Lauzun étaient venus le voir ; le premier lui avait paru passablement goguenard, le second dissimulé et envieux. Un troisième personnage lui avait aussi laissé une impression désagréable. C'était un gentilhomme campagnard fort prétentieux, nommé des Assins. Ce bel esprit avait une opinion prodigieuse de sa valeur personnelle ; il se donnait tant d'importance qu'il n'en laissait aucune aux autres. Il ne parlait jamais que de lui-même, comme si le monde entier eût été créé pour s'occuper exclusivement de M. des Assins. Après une longue et lourde visite dont il assomma Démon, il s'était retiré d'un air piqué. En effet, la tenue réservée et digne de Démon lui avait déplu. Démon n'avait pas même souri à ses jeux de mots ; c'était un crime impardonnable ; il s'était fait un ennemi de M. des Assins. Or, M. des Assins n'était pas un ennemi sans conséquence. Il avait déjà tué deux hommes en duel, un troisième dans une bagarre fort louche, au sortir d'un bal, et estropié un quatrième pour le reste de ses jours. Il s'était promis, après sa visite chez le jeune Saint-Ybars, de s'en venger. Il allait partout répétant que ce beau Monsieur s'en croyait énormément, et qu'il avait besoin d'une leçon.

XLI
Le préjugé de race – L'Insulte

M. des Assins épiait l'occasion de chercher querelle à Démon. Les circonstances le servirent à souhait.

Un bruit étrange, une révélation, venue on ne savait d'où, courait d'habitation en habitation, mettant toutes les langues en mouvement.

« Le croiriez-vous, ma chère ?

— Qu'est-ce donc ?

— Mlle Blanchette est une fille de couleur.

— Pas possible !

— Oui, ma chère, elle a du sang de nègre dans les veines. La respectable Mlle Pulchérie en a la preuve ; elle a lu une lettre dans laquelle on voit toute l'affaire. Savez-vous qui était la mère de cette petite blanche de contrebande ? ma chère, une esclave de Saint-Ybars. Quant au père, c'était M. X ; vous savez, celui qui a été tué à Shiloh. »

Une réconciliation s'était opérée entre la tante de Démon et Mlle Pulchérie. On était alors au printemps. Mlle Pulchérie avait été très occupée pendant l'hiver, et elle était venue prendre quelques jours de repos à la campagne, chez sa vieille amie. Celle-ci avait aussi offert l'hospitalité à M. Héhé, qui était, pour toutes les familles de la contrée, une connaissance d'ancienne date. À la même époque, M. le duc de Lauzun commençait une nouvelle tournée politique dans les campagnes, haranguant les affranchis et les excitant contre leurs anciens maîtres qu'il affectait d'appeler les *Bourbons*. Il ne parlait plus que l'anglais ; il assurait qu'il avait oublié le français.

Démon fut brusquement dérangé dans sa vie paisible et heureuse. Sa tante, ses cousines et Mlle Pulchérie envahirent sa maison, comme une nuée d'étourneaux criards, et, sous prétexte d'amitié, lui déclarèrent sans façon qu'elles passeraient une semaine chez lui.

Démon, malgré tous ses efforts pour être poli, ne put empêcher sa mauvaise humeur de percer. Blanchette se contint mieux ; elle s'attacha même, pour masquer le mécontentement de Démon, à se montrer plus complaisante et plus aimable que jamais. Aussi, fut-elle étonnée de la froideur hautaine avec laquelle on répondait à ses prévenances.

Mlle Pulchérie et la tante se rendirent à la ferme, et demandèrent à Pélasge un entretien particulier. Elles exigèrent qu'il fermât les portes à clé. Elles mirent deux heures à lui apprendre ce qui aurait pu lui être dit en cinq minutes, à savoir que Blanchette était la fille de Titia. Il est vrai qu'elles se lancèrent à perte de vue dans les considérations d'honneur et de respect pour la famille, qui imposaient à Démon la nécessité de ne plus traiter Blanchette sur un pied d'égalité.

Au sortir de ce colloque, Pélasge était bien soucieux. Il prévoyait les suites déplorables de la révélation qui venait de lui être faite. Il interrogea son esprit et son cœur sur le meilleur moyen de prévenir une catastrophe. Quand il crut l'avoir trouvé, il emmena Démon sous le vieux sachem, pour être bien seul avec lui. Là, après lui avoir dévoilé le secret de la naissance de Blanchette, il lui montra Mlle Pulchérie, sa tante et sa cousine liguées contre lui et sa fiancée. Il l'engagea à quitter le pays, et pour l'aider à s'assurer une vie indépendante et heureuse avec Blanchette, sous le ciel qui lui conviendrait, il lui offrit généreusement la fortune qu'il avait amassée par son travail. Démon lui serra énergiquement la main, et lui dit :

« Vous êtes un noble cœur. Vous dépouiller ainsi, pour que nous puissions être heureux, Blanchette et moi ! Vous réduire à la pauvreté pour nous dérober aux atteintes d'un préjugé ! Non, c'est trop, mon ami. Même quand je serais disposé à accepter votre sacrifice, je m'en abstiendrais par respect pour moi-même. M'en aller ! fuir comme un criminel ! m'expatrier par peur de la critique ! ce serait reconnaître des droits à l'injustice ; ce serait donner raison à la tyrannie et à la proscription. Je ne le ferai pas ; je resterai, j'épouserais Blanchette ; tant pis pour ceux qui ne seront pas contents. »

Pélasge n'insista pas ; dans son for intérieur, il pensait comme Démon. Il fut convenu entre eux qu'on tairait la chose à Blanchette, au moins pour le moment ; il ne fallait pas l'affliger sans nécessité.

Un terrible assaut attendait Démon chez lui. Sa tante, Mlle Pulchérie et ses cousines s'enfermèrent avec lui, et partant de ce point – que famille oblige – elles entreprirent de lui prouver qu'il ne pouvait pas, par respect pour la parenté, s'unir à une fille de couleur.

Démon n'avait jamais brillé par la patience ; il interrompit le réquisitoire de ces dames, et leur dit :

« Vous êtes vraiment plaisantes, Mesdames ; vous disposez de moi comme si je vous appartenais ; vous renversez tous mes projets, en me rendant solidaire de vos idées surannées et ridicules. Dites-moi, je vous prie : quand je me suis trouvé sans argent, à l'étranger, m'avez-vous rendu solidaire du bien-être dont vous jouissiez ici ? à mon retour, m'avez-vous fait la moindre offre de service ? Allons donc ! laissons de côté cette solidarité chimérique. Chacun est responsable de ses actes. Vous me faites rire, en affectant de me jeter au visage que Blanchette est une fille de couleur ; elle est plus blanche qu'aucune de vous ; vous avez maintes fois, chères petites cousines, en ma présence, envié son teint et ses cheveux. Mais, répliquez-vous, elle a du sang de négresse dans ses veines. Diable ! pour voir cela, il faut que vous ayez de bien bons yeux. La prochaine fois que Blanchette se piquera un doigt en cousant, je prendrai une goutte de son sang ; je vous l'apporterai, nous la regarderons ensemble, et nous la comparerons à une goutte de votre sang ; vous me ferez saisir la différence. Mais Blanchette fût-elle noire comme l'ébène, s'il me plaisait à moi de la trouver à mon goût, vous n'auriez rien à dire. Je suis le seul survivant des Saint-Ybars ; ce nom, il n'y a que moi qui le porte, et libre à moi de le donner à Blanchette, si cela me convient.

« Ne m'interrompez pas ; je ne serai pas long ; ce que j'ai à vous dire, n'est pas le dixième de ce que vous m'avez forcé d'écouter.

« Croyez-moi, chère tante, chères cousines, ne nous inquiétons pas tant de savoir de quelle couleur étaient les aïeux de celle-ci ou de celle-là. Soyons ce que nous sommes, et voyons les autres comme ils sont : Blanchette est blanche comme un lys, elle est aimable, bonne, spirituelle, très instruite pour son âge, excellente musicienne, enjouée, ne disant jamais de mal de personne ; voyez-la donc telle qu'elle est, et ne me parlez plus de la peau noir de ses aïeules.

« Mais vous, Mesdames, pouvez-vous dire avec certitude quelle était la couleur de vos ancêtres ? Vous savez, sans doute, que le temps a fait justice de toutes ces légendes orgueilleuses qui établissaient un lien de parenté entre les hommes primitifs et les anges. D'abord, vos anges sont des êtres imaginaires, laissons cela de côté ; mais ensuite, savez-vous que des savants soupçonnent fortement aujourd'hui, ne vous en déplaise, que vous et moi, que nous tous enfin qui sommes si fiers de nous appeler des hommes, nous sommes les descendants d'une race qui était au moins cousine germaine des singes. Cela vous scandalise ; j'en suis bien fâché pour vous. Quant à moi, cela ne me fait rien du tout. Je n'en suis pas moins ce que je suis, un Saint-Ybars, un fils du dix-neuvième siècle, un homme libre né en Louisiane, en Louisiane où je prétends vivre à ma guise.

« Vous faites un crime à Blanchette d'avoir eu pour mère une esclave. Vous oubliez, chères amies, que nos ancêtres aussi ont été des esclaves. Oui, nous tous qui vivons sous ce ciel béni de l'Amérique, descendants de Français, d'Anglais, d'Espagnols, d'Italiens, d'Allemands, de Portugais, de Suisses, de Suédois, etc., tous nous sommes les petits fils de malheureux qui ont traversé de longs siècles, le front courbé sous le poids de la servitude. Il fut un temps maudit où la force était le droit ; alors, les peuples vivaient de guerre et de rapine ; les vaincus étaient chargés de chaînes et condamnés à travailler pour les vainqueurs. Comme on était tour à tour vainqueur ou vaincu, l'esclavage s'est promené partout, semblable à ces sinistres épidémies qui ne s'éloignent d'un pays que pour en envahir un autre. Il suit de là rigoureusement qu'il n'est personne qui ne compte des esclaves parmi ses ascendants.

« Et ne croyez pas, très chères cousines, qu'il soit nécessaire de remonter bien haut dans l'histoire, pour rencontrer nos ancêtres portant un collier avec le nom du maître, comme celui que nous mettons à nos chiens. La décence ne me permet pas de vous dire comment les seigneurs traitaient nos aïeules, à l'âge où elles étaient fraîches et jolies. En sommes-nous, vous et moi, moins respectables, moins libres ? non, sans doute. Or, je dis que Blanchette est aussi blanche que la plus blanche des blanches ; je dis qu'elle a reçu l'éducation que l'on donne aux jeunes filles des meilleures familles, et enfin que je l'aime. Donc, je l'épouserai. Si vous êtes venues ici exprès pour m'en dissuader, vous pouvez considérer votre mission comme terminée. »

Démon salua poliment, et se retira. Il sortit avec Blanchette ; ils firent une longue promenade. Démon fut plus expansif et plus tendre que jamais. Blanchette était heureuse ; elle écoutait, avec des frémissements délicieux, les paroles de Démon ; elle noyait son regard dans le sien, comme pour lui répondre qu'elle vivait toute en lui, et que si leur promenade pouvait durer indéfiniment, ce serait, sur la terre, le rêve réalisé de l'âge d'or.

Ils revinrent par la levée, ravis d'être seuls dans le silence, au coucher du soleil, oubliant qu'il y a par le monde des hypocrites, des envieux, pour qui le bonheur d'autrui est une torture, et avec lesquels, malheureusement, il faut toujours compter tôt ou tard.

En doublant un coude, que formait le chemin pour suivre les sinuosités du fleuve, Démon et Blanchette aperçurent à quelque distance, un groupe composé d'une dizaine de personnes. À l'idée qu'il fallait passer devant ces indifférents, Blanchette fit une moue d'enfant contrarié. À mesure qu'ils avançaient, Démon croyait reconnaître M. des Assins. C'était bien lui. Démon le vit s'avancer, de manière à se placer au bord du chemin.

Il y avait trois dames dans le groupe ; elles chuchotaient derrière leurs éventails.

« C'est la première fois, dit l'une d'elles, que je vois le jeune Saint-Ybars ; c'est, ma foi, un beau garçon. Mais il a tort de sortir comme cela, en public, avec une fille de couleur.

— Pauvre petite Blanchette ! dit une autre ; c'est vraiment dommage : elle est si gentille !

— Elle aurait toujours passé pour blanche sans cette mauvaise langue de Pulchérie, remarqua la troisième dame ; quelle guêpe, quel scorpion, quel serpent à sonnette que cette vieille fille ! »

Blanchette aussi remarqua M. des Assins. Elle le connaissait de réputation. Il lui était antipathique ; mais comme elle n'aimait pas à s'occuper des gens méchants, elle n'avait jamais parlé de lui à Démon.

Au moment où Démon passait devant le groupe, M. des Assins dit à haute voix :

« Le voici avec sa négresse. »

Démon ne l'entendit que trop bien ; il se retourna, et, le regardant avec mépris, il lui jeta cette épithète au visage :

« Misérable ! »

C'était précisément ce que voulait M. des Assins. Il fit, avec la tête, un geste qui voulait dire ceci :

« Nous nous reverrons bientôt. »

Démon le salua de la main, de façon à faire comprendre qu'il était à sa disposition.

« Encore un duel ! s'écria l'une des trois dames.

— Des Assins a tort, remarqua la plus âgée, on n'insulte pas comme ça un homme de but en blanc. Il a confiance en sa réputation de duelliste. S'il tue ce jeune homme, c'est abominable ! je ne lui parle plus. »

Blanchette avait entendu seulement le mot *négresse* ; elle ne se faisait pas la moindre idée du sens que des Assins y avait attaché. Mais elle entrevit quelque chose de très grave ; elle devint toute tremblante, et demanda à Démon, presque en pleurant, l'explication de ce qui venait de se passer. Il la rassura de son mieux. Elle ne fut pas satisfaite ; elle resta inquiète, se disant qu'à coup sûr un duelliste comme M. des Assins ne se laisserait pas appeler misérable sans se venger. En rentrant, Démon l'embrassa plusieurs fois, et lui recommanda de ne pas se tourmenter. Il avait repris son calme ; il parlait d'une voix si naturelle, que Blanchette se rassura en partie ; elle se retira dans sa chambre, le cœur un peu moins oppressé.

XLII
Le Cartel

M. Héhé et Pélasge étaient au salon, avec la tante et les cousines de Démon ; Mlle Pulchérie leur racontait la guérison miraculeuse d'une vieille femme paralytique, qui avait bu de l'eau de la Salette. Quand elle eut fini, Démon prit Pélasge et M. Héhé à part, et les pria de passer la soirée chez lui, attendu qu'il aurait probablement besoin de leurs services. Il se borna, pour le moment, à leur dire qu'en réponse à une parole grossière de M. des Assins, il s'était servi d'une expression qui devait nécessairement amener un duel. Plus tard, seul avec Pélasge, il lui exposa les choses exactement comme elles s'étaient passées. Pélasge connaissait M. des Assins ; il ne douta pas que le spadassin n'eût longuement prémédité son insulte. « Je suis sûr, pensa-t-il, qu'il s'exerce depuis longtemps à l'arme qu'il veut choisir. Misérable ! oui, Démon a dit la vérité, c'est un misérable, un bien grand misérable. S'il arrive malheur à Démon, ce scélérat aura affaire à moi. »

Mlle Pulchérie vint dire à Démon qu'on le demandait au salon. Il s'y rendit aussitôt, et se trouva en face de deux amis de M. des Assins.

« Messieurs, leur dit-il, vous m'apportez un cartel.

— Oui, Monsieur.

— M. des Assins m'a devancé, Messieurs, pour avoir le choix des armes. C'est pourtant moi qui ai été insulté le premier ; c'est à moi que reviendrait le droit d'envoyer un cartel. N'importe, j'accepte celui de M. des Assins. Quelle arme choisit-il !

— Le fusil à deux coups.

— Le fusil, Messieurs ? cela devait être ; M. des Assins est un des plus habiles chasseurs du pays. Soit. Quelles conditions propose-t-il ?

— On se battra à quarante pas, avec des fusils dont on ne s'est jamais servi. Un des canons seulement de chaque fusil sera chargé à balle. Les adversaires étant en place, un des témoins, le doyen d'âge, désigné pour le commandement, dira : “Messieurs les combattants, êtes-vous prêts ?” – si aucune observation ne se fait entendre, il ajoute : “Feu !” et il compte depuis *un* jusqu'à *dix*. On pourra tirer à partir du mot *feu* jusqu'à *dix*.

— Messieurs, dit Démon en souriant avec ironie, je vois ce que désire M. des Assins, un combat à mort. Permettez-moi de vous dire qu'il s'y prend mal ; je refuse ses conditions ; voici les miennes : chaque adversaire apportera son fusil, avec de la poudre et des balles ; les *deux* canons de chaque fusil seront chargés ; on se battra, non à quarante pas, mais à *vingt* ; on pourra tirer à partir du mot *feu* jusqu'à *vingt*. Messieurs, j'ai deux amis chez moi ; je vais vous les envoyer. On vous apportera de l'encre, des plumes et du papier ; les conditions du combat seront mises en écrit. »

Les amis de M. des Assins, restés seuls, se regardèrent.

« Bigre ! dit l'un, il n'a pas froid aux yeux.

— Ah ! ça, fit l'autre, est-ce que nous acceptons de pareilles conditions ? que dira-t-on de nous ?... c'est une tuerie.

— Ma foi, tant pis, reprit le premier ; nous ne pouvons pas reculer. »

Pélasge et M. Héhé entrèrent. Pélasge prit la parole.

« Je regrette pour vous et pour nous, Messieurs, d'avoir à rédiger des conditions de combat comme celles qui nous sont imposées. M. Saint-Ybars se refuse péremptoirement à les changer, à moins que ce ne soit pour les rendre plus meurtrières. Acceptez-vous, Messieurs ?

— Nous acceptons.

— Le lieu du combat, continua Pélasge, est l'avenue de l'ancienne habitation Saint-Ybars, près des ruines de la maison ; on y sera demain matin, à sept heures. Le lieu et l'heure vous conviennent, je pense.

— Parfaitement, Monsieur.

— En ce cas, Messieurs, je dicte. M. MacNara va écrire ; l'un de vous voudra bien en faire autant... Ah ! pardon, Messieurs ; j'oublie une clause importante. Si l'un des adversaires est blessé et qu'il puisse tirer encore, M. Saint-Ybars veut que le combat continue.

— C'est entendu, Monsieur. »

Il y eut un silence de deux à trois minutes ; puis, la voix grave et accentuée de Pélasge dicta, article par article, les dispositions du combat. M. Héhé, fier de son rôle et fronçant belliqueusement le sourcil, écrivit avec un talent de calligraphe qui aurait fait envie à un clerc de notaire. Les présents signèrent. Pélasge garda la feuille écrite par le représentant de M. des Assins, et lui remit l'autre. On se sépara en se saluant courtoisement, et en disant :

« Demain matin, à sept heures. »

Il fut convenu que Démon irait coucher à la ferme, comme cela lui arrivait quelquefois, quand il avait à sortir de bonne heure avec Pélasge. Il passa le reste de la soirée avec Blanchette. Elle était affreusement tourmentée. La visite des amis de M. des Assins était trop significative, pour qu'on pût lui en dissimuler l'objet. Démon se vit obligé de convenir des faits ; seulement, il dit qu'on n'en était encore qu'aux pourparlers, et que l'affaire ne se déciderait que le lendemain. Mais il ne savait pas mentir. Blanchette lui dit :

« Parrain, vous me trompez. »

Et elle fondit en larmes.

Démon la prit dans ses bras, couvrit son visage de baisers, et dit :

« Eh bien ! oui, Blanchette, je me bats demain matin. Sois tranquille, j'ai bon espoir. Si tu veux que je conserve mon courage et mon sang-froid, il ne faut pas pleurer.

— Je vous obéis, parrain, dit Blanchette en s'essuyant les yeux, je ne pleure plus.

— Je te le répète, reprit Démon en portant la main à son front, il y a là quelque chose qui me dit que je te reviendrai sain et sauf. »

Il la serra une dernière fois sur son cœur et partit.

Mamrie et Lagniape causaient tranquillement dans la cuisine ; elles n'eurent aucune connaissance des incidents de la soirée.

Quand M. des Assins apprit les conditions de Démon, il éclata de rire.

« L'imbécile ! s'écria-t-il, il a donc peur que je ne le manque à quarante pas ? Enfin, puisqu'il veut recevoir ma balle à vingt pas, servons-le à la distance qui lui plaît. »

M. des Assins était âgé d'une quarantaine d'années. Il avait une grande expérience du terrain, non seulement pour s'être battu souvent, mais aussi pour avoir été témoin ou simple spectateur dans tous les duels de sa paroisse depuis vingt-deux ans. Il avait une confiance illimitée dans son adresse et ses roueries. En préparant son fusil pour le lendemain, il dit à ses amis :

« Voici comment les choses se passeront. Ce grand flandrin, comme un novice qu'il est, n'aura qu'une pensée, tirer le premier. Il se dépêchera si bien de me tuer, dans sa peur de l'être, qu'il me manquera. D'abord, moi, je commencerai par lui troubler la vue et je lui donnerai un tremblement, en balançant mon fusil dès qu'on sera en position, comme ceci, regardez-bien, de haut en bas et de bas en haut, juste en suivant la ligne médiane de son corps. Cette manière de faire est un excellent truc ; elle m'a déjà réussi deux fois, je vous la recommande. Ce balancement a un effet étonnant ; votre adversaire se trouble, il tire sans viser, sa balle s'en va au diable ; vous, alors, vous visez à votre aise, et paf ! vous lui percez le cuir.

— C'est très bien, observa quelqu'un, mais tout ça suppose que tu aies affaire à un homme qui perde la tête facilement. Mais si ton adversaire garde son sang-froid, tu cours une terrible chance en le laissant tirer le premier.

— Voilà justement la question, reprit des Assins ; votre adversaire gardera-t-il ou ne gardera-t-il pas son sang-froid. Pardi ! si je me battais avec un vieux *boscoïo* comme toi, j'emploierais un autre truc. Ce muscadin de Saint-Ybars n'a jamais été sur le terrain, et quand, la première fois qu'on se bat, on a devant soi un homme de ma réputation, on a une venette d'enfer. »

La raisonnement de M. des Assins était spécieux ; Démon avait bien l'habitude des armes, mais il ne s'en était jamais servi que pour exercer son adresse, et par manière de divertissement. Il n'avait jamais pris pour cible un être vivant ; il ne se cachait pas pour dire qu'il avait horreur du tir au pigeon ; il désapprouvait même la chasse comme partie de plaisir, soutenant qu'elle n'est légitime que lorsqu'elle est nécessaire comme moyen d'existence.

« Ce des Assins, dit-il à Pélasge, est un être ignoble ; au lieu de s'en prendre à moi directement, il m'a insulté dans la personne d'une jeune fille qui ne lui a jamais donné le moindre motif de ressentiment contre elle. Il m'a pris en haine, je ne sais pourquoi ; il veut me tuer, c'est évident. Vous me connaissez, mon ami ; vous savez que je n'ôte pas la vie inutilement même à un insecte. Mais demain, en présence de cette bête féroce, je serai dans le cas de légitime défense. Croyant rendre service à la société aussi bien qu'à moi-même, je ferai de mon mieux pour tuer ce scélérat. Il a mis dans mon cœur une froide et implacable colère qui pourra bien lui porter malheur. Si c'est moi qui succombe, ma place m'attend sous le vieux sachem, à côté de mon grand-père. Donnez-moi, je vous prie, ce qu'il faut pour écrire. Je désire laisser à Blanchette le peu que je possède. Je vous la recommande ; protégez-la, rendez-la aussi heureuse qu'elle puisse l'être sans moi. »

Pélasge prit affectueusement la main de Démon, et dit :

« Vous n'avez pas de fâcheux pressentiment, n'est-ce pas ?

— Non, pas du tout, répondit Démon ; au contraire, j'ai confiance.

— À la bonne heure.

— Mais je puis me tromper ; le sort est si perfide !

— Tâchez de bien dormir, reprit Pélasge, afin que demain vous soyez dans de bonnes conditions physiques.

— Oh ! sous le rapport du sommeil, répondit Démon en souriant, vous savez que la nature m'a bien doué. La certitude d'être tué à mon lever, ne m'empêcherait pas de dormir. Je compte sur vous pour me réveiller à cinq heures. »

Pendant que Démon causait avec Pélasge, M. Héhé était près de Mlle Pulchérie. Il n'avait pas de secrets pour elle. Il lui raconta toute l'affaire de Démon avec M. des Assins, lui recommandant toutefois la plus grande discrétion.

« Si l'on venait à savoir, remarqua-t-il, que la lettre que je vous ai donné à lire est la cause première de ce qui arrive, cela ferait un mauvais effet. »

À peine M. Héhé était-il parti, pour rejoindre Pélasge et Démon, que Mlle Pulchérie, oubliant la recommandation de son ami pour satisfaire sa propre méchanceté, entrait dans la chambre de Blanchette et l'accablait de reproches, comme coupable de la prochaine et inévitable mort de Démon. Elle eut la cruauté de lui révéler le secret de sa naissance ; elle alla jusqu'à lui dire que si l'esclavage existait encore, on la mettrait à sa vraie place, et qu'elle serait fouettée jusqu'au sang, comme elle le méritait, pour avoir amené un duel entre le dernier rejeton des Saint-Ybars et un homme qui tuait toujours son adversaire.

Blanchette était éperdue de désespoir et de terreur. En moins de quelques minutes, elle venait de recevoir des chocs dont un seul eût suffi pour l'accabler. Sa raison chancela ; elle se demanda si elle était bien Blanchette, si la petite Blanchette n'était pas un rêve, ou une pensée que Chant-d'Oisel aurait laissée derrière elle et oubliée dans la vie. Le rire sarcastique de Mlle Pulchérie la ramena au sentiment de son existence ; elle recula d'horreur, et joignant les mains :

« Grâce, Mademoiselle, grâce, assez pour ce soir ! dit-elle ; je suis anéantie ; vous ne pouvez plus me faire de mal, c'est comme si vous frappiez sur une morte ; laissez-moi seule avec mon malheur, il n'a pas besoin d'être aidé par vous. »

Blanchette était jeune et jolie, Mlle Pulchérie avait cessé d'être jeune depuis longtemps, et elle n'avait jamais été jolie ; Blanchette était sympathique et aimante ; Mlle Pulchérie n'était que haine et envie. Mlle Pulchérie haïssait amèrement Blanchette, et Blanchette, née pour aimer, ne comprenait pas plus la haine qu'un enfant ne comprend l'algèbre.

Mlle Pulchérie revint au salon, et, écumant encore de fiel et de colère, elle raconta à la tante de Démon comment elle venait de traiter Blanchette. Grand fut son étonnement, grande sa mortification, de voir la sœur de Mme Saint-Ybars émue de pitié.

« Vous êtes allée trop loin, ma chère, dit la vieille dame ; rendre cette malheureuse enfant responsable de la mort de Démon, c'est trop, c'est injuste. »

Elle se rendit auprès de Blanchette, et essaya de la consoler. Blanchette se jeta avec confiance dans ses bras.

« Vous au moins, vous êtes bonne, chère tante, dit-elle ; vous avez pitié de moi. Laissez-moi vous appeler encore tante, c'est la dernière fois. Qu'on me dise tout ce qu'on voudra, que je suis une négresse, que ma mère était une esclave, que j'étais née pour l'être aussi ; mais c'est horrible de me reprocher ce duel, à moi qui donnerais ma vie pour sauver Démon. Ah ! si Nénaine était là, elle prendrait ma défense ; on ne m'accablerait pas comme ça. »

La sœur de Mme Saint-Ybars ne put retenir ses larmes ; elles firent plus que tout le reste, pour consoler Blanchette.

Vers onze heures le calme s'était rétabli dans la maison. Blanchette s'était jetée sur son lit, pour pleurer. Le sommeil, aidé par l'épuisement du corps et de l'esprit, s'empara d'elle, malgré les sanglots qui continuaient de secouer sa poitrine.

Pélasge avait envoyé un exprès à son médecin, pour s'assurer ses services. Il attendit, pour se coucher, qu'on lui apportât une réponse. Le médecin lui fit savoir qu'il serait au rendez-vous.

XLIII
Le Duel

On était au mois d'avril. Levé avant le soleil, M. des Assins ouvrit sa fenêtre. Le ciel était pur, l'air frais, les oiseaux chantaient.

« Voici une belle journée qui s'annonce, pensa M. des Assins ; le jeune Saint-Ybars n'a pas de chance, il n'en verra pas la fin. Tant pis pour lui, c'est sa faute. Pourquoi a-t-il fait son fier avec moi ? pourquoi a-t-il eu l'air de ne pas convenir, avec tout le monde, que personne en Louisiane n'a plus d'esprit que moi ? c'est un fat, un insolent qui mérite une correction ; il l'aura. »

M. des Assins fit grande toilette, comme s'il allait à une fête, et but un verre de sherry. Il monta dans une voiture à deux chevaux ; ses témoins et un domestique l'accompagnaient. Deux autres voitures suivaient la sienne ; elles contenaient des amis et de simples spectateurs. Ensuite, venait le cabriolet du médecin. On suivit la voie publique, au bas de la levée.

Un homme à cheval avait devancé les voitures ; il se tenait à l'entrée de l'avenue ; c'était M. le duc de Lauzun. Il n'avait jamais assisté à un duel. Pour se donner une contenance de brave, il avait une rose à sa boutonnière, et fumait un cigare en fredonnant un air de *Fra Diavolo*.

Pélasge en réveillant Démon, lui dit :

« Il fait presque froid ; habillez-vous chaudement, mais ayez soin de mettre les vêtements dans lesquels vous êtes le plus à votre aise. Il importe que vous ayez tous vos mouvements parfaitement libres. »

Démon se vêtit de noir et boutonna sa redingote jusqu'au col.

« Maintenant, dit Pélasge en lui présentant son fusil, épaulez trois ou quatre fois. »

Démon exécuta la manœuvre.

« C'est bon, remarqua Pélasge, vous n'êtes pas gêné dans vos entournures, ça ira. Allons prendre un peu de café. »

M. Héhé était dans la salle à manger. Il avait passé une mauvaise nuit ; la réflexion lui avait fait entrevoir des éventualités terribles. Démon pouvait, par miracle, échapper aux balles de M. des Assins. Et s'il venait à savoir que c'était lui MacNara, qui avait fait lire à Mlle Pulchérie la lettre que jadis M. de Lauzun avait prise dans la poche de Lagniape ! le jeune Saint-Ybars en serait furieux ; il n'écouterait que sa colère et provoquerait son ancien professeur en duel. Quelle perspective pour M. Héhé ! il en avait eu des sueurs froides.

Quand Démon et Pélasge entrèrent dans la salle à manger, M. Héhé y était déjà ; il s'était fait apporter une carafe de cognac.

« Messieurs, dit-il, prenons un petit verre de courage allemand.

— Je vous remercie, mon cher ancien professeur, répondit Démon, et je crois que vous feriez bien de renoncer à cette manière de parler. Les Allemands, voyez-vous, n'ont pas plus besoin que nous d'eau de vie pour avoir du courage.

— Démon a raison, observa Pélasge ; et puisque l'occasion s'en présente, je vous ferai remarquer, mon cher, que vous avez aussi l'habitude de dire *soûl comme un Polonais, blagueur comme un Parisien, filou comme un Grec, traître comme un Italien*, etc. Ces locutions ont leur danger ; à coup sûr, vous finirez par rencontrer quelqu'un qu'elles blesseront, et vous serez provoqué en duel. »

M. Héhé eut un frisson, et se tut.

On se disposa à partir. Démon et M. Héhé entrèrent dans le *cab* de Pélasge ; quant à lui, il prit place à côté du cocher ; il portait le fusil.

Lorsqu'ils furent dans l'avenue, Pélasge distingua au loin trois voitures à quatre roues et un cabriolet.

Ce n'était pas sans intention que M. des Assins était arrivé le premier. Dès qu'il vit Démon descendre du cab, il se campa théâtralement sur son passage. Démon s'avança de son pas ordinaire, les mains dans les poches de son paletot. Il comprit immédiatement que son adversaire voulait l'intimider ; il lui jeta, en passant, un regard dans lequel il y avait autant de mépris que de courage. Un des amis de M. des Assins en fut singulièrement frappé ; il dit à son voisin :

« Hum ! voilà un coup d'œil qui en dit beaucoup ; ce jeune homme va se battre avec un sang-froid admirable. »

À l'endroit choisi pour le combat, presque tous les chênes étaient morts ; des touffes de barbe espagnole pendaient çà et là de leurs rameaux desséchés, donnant largement passage à la lumière. La distance entre les combattants fut mesurée par Pélasge. Les adversaires furent invités à occuper leurs places ; elles avaient été tirées au sort, car l'une était moins bonne que l'autre. La chance favorisa Démon ; il tournait le dos au soleil.

M. des Assins ôta son manteau, sa redingote et même son gilet ; il les jeta négligemment à son domestique. Il garda son chapeau. M. de Lauzun n'avait pas les yeux assez grands pour l'admirer.

Démon ôta son paletot, le plia avec soin, le posa au pied d'un chêne et mit son chapeau dessus.

Pendant que les témoins chargeaient les fusils, un des amis de M. des Assins s'approcha de lui, et dit à voix basse :

« Je crois, mon cher, que tu ferais bien de renoncer à ton idée de laisser ton adversaire tirer le premier. Il y a dans tous ses mouvements une sûreté et une précision, qui prouvent qu'il se possède on ne peut mieux. Crois-moi, méfie-toi.

— Ah ! bah ! laisse donc, répondit M. des Assins ; je te le répète, il va se dépêcher de tirer, comme un novice qu'il est ; il me manquera, et alors moi... Sois tranquille, je connais mon affaire. »

M. de Lauzun avait attaché son cheval à l'écart ; il s'approcha de M. Héhé qui ne paraissait pas à son aise.

« Qu'avez-vous donc ? demanda-t-il ; vous avez l'air tout chiffonné.

— Je suis inquiet, répondit M. Héhé.

— Le fait est, remarqua M. de Lauzun, qu'il y a de quoi s'inquiéter pour le dernier des Saint-Ybars ; quand on a des Assins en face de soi, dans un duel, on est un homme mort.

— Ce n'est pas pour Démon que je suis inquiet, reprit M. Héhé ; c'est pour moi-même. Il peut sortir sain et sauf de ce mauvais pas, quoi que vous en disiez ; on a vu des choses plus extraordinaires que cela. S'il vient à savoir que c'est moi qui ai montré la lettre à Mlle

Pulchérie, me voilà dans une belle position. Sapristi ! je regrette bien que vous ayez eu la malencontreuse idée de me communiquer cette lettre.

— Ne craignez donc rien, dit M. de Lauzun ; vous allez voir comme des Assins va percer le coffre au dernier rejeton de l'illustre famille des Saint-Ybars. »

On avait fini de charger. M. Héhé souhaita, du plus profond de son cœur, que le fusil de M. des Assins réalisât la prophétie du duc de Lauzun.

Comme doyen d'âge, Pélasge fut désigné pour commander le feu.

Un des témoins de M. des Assins lui porta son fusil. Démon reçut le sien des mains de Pélasge, qui lui dit :

« Démon, mon enfant, profitez de vos avantages. La jactance de votre ennemi lui fait commettre une faute énorme. Sa chemise entre son chapeau et son pantalon noir, est une véritable cible qui attend votre balle. Mettez-vous un peu plus à droite. Regardez par-dessus mon épaule, sans en avoir l'air : voyez-vous, entre votre homme et vous, cette plante desséchée de l'année dernière !

— Oui.

— Prenez-la pour point de mire. Vous comprenez, n'est-ce pas ?

— Oh ! parfaitement. Si je tire le premier, ce des Assins ne tuera plus personne.

— Au revoir, Démon.

— Au revoir, ami Pélasge. »

Pélasge serra la main de Démon, et alla se mettre à son poste, au bord de l'avenue, à égale distance des combattants.

« Messieurs, dit-il aux assistants, effacez-vous. »

On se rangea des deux côtés, à une quinzaine de pas de la ligne allant de l'un à l'autre combattant.

M. des Assins rabattit le bord de son chapeau, pour garantir ses yeux du soleil, et aussitôt il se mit à balancer son fusil comme il avait dit à ses amis qu'il ferait. Ces deux canons qui montaient et descendaient en face de Démon, montrant leurs bouches noires, avaient une mine effroyablement menaçante. Mais Démon ne s'en préoccupa nullement. Les yeux fixés sur la petite tige morte, il attendait, immobile comme un roc.

Pélasge commença d'une voix forte et claire :

« Messieurs les combattants, êtes-vous prêts ? »

Il y eut un silence ; on n'entendait que les chevaux qui frappaient la terre de leurs sabots, tourmentés qu'ils étaient par les mouches.

Pélasge continua :

« Feu ! un, deux, trois... »

Au mot *feu* Démon épaula ; entre *deux* et *trois* il tira.

M. des Assins frissonna de la tête aux pieds, comme une personne qui reçoit le choc d'une batterie électrique. Démon était sûr de l'avoir touché ; aussi, fut-il étonné de ne pas le voir tomber.

M. des Assins avait reçu, en pleine poitrine, la balle de Démon. Il fit un effort prodigieux pour viser son adversaire ; mais son fusil n'était pas encore placé horizontalement, lorsque Pélasge, comptant toujours, disait :

« Quatre, cinq... »

Au mot *cinq* le second coup de Démon partit. M. des Assins tira presque en même temps, ou plutôt son doigt pesa convulsivement sur la gâchette ; sa balle frappa dans la poussière, à dix pas de lui, et rebondit pour aller se perdre dans les grandes herbes. Il fléchit sur ses jarrets, lâcha son fusil, et s'assit en s'appuyant sur sa main droite. Ses amis coururent à lui ; l'un d'eux arriva juste à temps pour le soutenir. Sa tête se renversa, son chapeau roula dans la poussière. Des flots de sang rougirent sa chemise. La seconde balle de Démon, comme la première, avait traversé la poitrine de part en part. M. des Assins respirait encore, mais lentement et de plus en plus faiblement. Sa bouche était largement ouverte, et toute pâle ; ses yeux, tournés en haut, roulaient de droite à gauche et de gauche à droite.

M. de Lauzun, presque aussi pâle que M. des Assins, donna un coup de coude au médecin, en lui disant :

« Eh bien ! Docteur, vous ne faites rien ; mais faites donc quelque chose, cet homme est blessé !

— Imbécile ! il est mort, répondit le médecin.

— Mort ! » répéta M. de Lauzun d'une voix étranglée.

M. des Assins ne respirait plus ; ses amis l'étendirent sur le sol. Ils se groupèrent un peu à l'écart, et se parlèrent à demi-voix.

Pélasge, Démon et M. Héhé furent obligés de passer devant le cadavre, pour se rendre à leur voiture. M. de Lauzun arrêta M. Héhé, et après l'avoir regardé un bon moment, d'un air effaré, il lui dit :

« Mort !

— Je le vois bien, mille tonnerres ! répondit M. Héhé ; que le diable vous emporte, vous et votre maudite lettre ! »

Les amis de M. des Assins n'étaient pas venus sur le terrain, pour assister à sa défaite ; lui mort, plus d'amitiés. On mit son corps dans une voiture ; mais personne ne s'empressa de l'accompagner ; le médecin fut obligé de se charger de cette triste besogne.

XLIV
Entretien de Mamrie et de Lagniape

Blanchette était montée à l'observatoire. Mourante d'inquiétude, les yeux noyés de larmes, elle attendait à une fenêtre du côté de l'Orient. Enfin, elle reconnut de loin le cab de Pélasge. Cette fois Démon était assis près du cocher. Dès qu'il vit Blanchette qui se penchait hors de la fenêtre, il agita son mouchoir.

Lagniape et Mamrie étaient dans la cour, ne se doutant encore de rien. Elles entendirent des cris perçants, et, aussitôt après, un bruit de roulement ; c'était Blanchette qui descendait l'escalier. Elle traversa la maison avec la rapidité d'un oiseau qui s'échappe, et courut au-devant de Démon. Elle perdit son peigne en route, ses cheveux bondissaient au soleil.

Démon sauta sur le chemin, et la reçut dans ses bras. Blanchette l'emmena au bord du fleuve, dans un endroit qu'elle aimait à cause de la solitude. Là, ils eurent un long et doux entretien, au bruit régulier des petites vagues qui venaient mourir à leurs pieds. Ils passèrent là une de ces heures comme il y en a peu dans la vie, heures de contentement parfait où l'on oublie le passé et l'avenir pour se plonger dans la jouissance du présent, comme si ce présent devait durer toujours.

Le bruit de la mort de M. des Assins se répandit partout. Les mères de famille s'en réjouirent. Son oraison funèbre ne fut pas longue ; elle était dans toutes les bouches :

« C'est bien fait, disait-on ; il ne l'a pas volé, le bandit ! »

Quand Démon rentra avec Blanchette, Mamrie le saisit au passage, pour lui reprocher d'être allé ainsi, à son insu, s'exposer à être tué. Démon lui répondit que cela valait bien mieux ; qu'au moins de cette façon il l'avait soustraite aux angoisses de la crainte.

Les cousines de Démon le félicitèrent d'avoir débarrassé le pays d'un homme redouté comme M. des Assins. Mlle Pulchérie lui prédit froidement qu'il aurait bien d'autres duels, s'il persistait dans son idée d'épouser Blanchette.

Mamrie voulut connaître la cause du duel. Elle interrogea la plus jeune des cousines de Démon. Lagniape était à côté de Mamrie ; elle ne perdit pas un mot de ce que dit la jeune demoiselle. Mamrie fut d'abord étonnée d'apprendre que Blanchette était la fille de Titia. Après avoir réfléchi, elle se mit à rire et dit à la cousine de Démon :

« Ah ! ouëtte, tou ça cé bétise. Si kékeune té pas montré lette-là à Mamzel Pulchérie, Blanchette sré toujour ain blanche. Malgré lette-là èceque so lapo pa pli blanche pacé vou kenne ! Pour sûr si vou té capab changé vou lapo pou so kenne, vou sré pa di non[1]. »

Lagniape à son tour prit la parole.

« Mademoiselle, croyez-moi, dit-elle, ne jetez pas la pierre à Blanchette ; écoutez plutôt votre bon cœur que vos préjugés ; car, vous êtes bonne, vous, Mademoiselle. Je vous ai vue pleurer en lisant l'histoire d'une jeune paria : vous trouviez injuste et cruel qu'il ne fût pas permis au jeune homme qui l'aimait de l'épouser, parce qu'ils n'étaient pas de la même classe. La pitié que vous aviez pour cette paria, ne l'aurez-vous pas pour Blanchette ? Ayez confiance en ce que vous dit une vieille femme : la plus grande beauté pour une jeune fille, c'est d'être bonne et généreuse. »

La cousine de Démon s'en alla, toute pensive. Elle se nommait Georgine.

Mamrie et Lagniape causèrent longtemps. Elles revinrent sur le passé. Mamrie pressa Lagniape de questions concernant les circonstances du vol de la lettre : elle était convaincue, disait-elle, que c'était cette lettre que Mlle Pulchérie avait lue. Elle demanda à Lagniape si elle n'avait jamais soupçonné personne. Lagniape répondit qu'elle avait plusieurs fois pensé que c'était M. de Lauzun qui avait fait ce vilain coup. Elle se souvenait très bien qu'à cette

---

[1] Ah ! oui, tout ça c'est des bêtises. Si quelqu'un n'avait pas montré cette lettre-là à mademoiselle Pulchérie, Blanchette serait toujours une Blanche. Malgré cette lettre-là, est-ce que sa peau n'est pas plus blanche que la vôtre ? Pour sûr si vous étiez capable de changer votre peau pour la sienne, vous ne diriez pas non.

époque il était amoureux de Titia, et l'épiait constamment ; qu'il la persécutait de ses propositions, mais qu'elle ne voulait pas de lui. Mamrie se tut, et réfléchit. Elle se posa cette question : « Lauzun avait-il un intérêt à voler la lettre ? » elle se répondît : « Oui. » Elle se posa une autre question : « Était-il homme à aveugler Lagniape pour cela ? » Elle se répondit encore : « Oui. »

La conclusion s'imposait d'elle-même à Mamrie : tout le mal vient de Lauzun.

« Ain jour ou ain ote la payé moin ça, dit-elle, malgré mo aveugle[2]. »

M. Héhé jugea prudent de s'éloigner. Sous prétexte que ses affaires le rappelaient à la Nouvelle-Orléans, il prit le premier bateau qui descendait. Mlle Pulchérie ne tarda pas à le rejoindre. Elle partit sans même prendre congé de Démon, l'abandonnant, comme elle disait, à son malheureux sort, puisqu'il avait assez peu de cœur pour s'entêter dans son idée d'épouser Blanchette.

---

[2] Un jour ou un autre, il me paiera ça, dit-elle, bien que je sois aveugle.

XLV
« Les préjugés sont les rois du vulgaire » – Voltaire

Il tardait à Démon que sa tante repassât le fleuve ; mais il s'abstint de le lui faire sentir. Elle avait été bonne pour lui au temps de son enfance ; il l'aimait et la respectait. Ce n'était pas une méchante personne, bien certainement ; mais il y avait derrière elle tout un long passé dont elle ressentait l'influence ; elle gardait les habitudes d'esprit et les croyances du milieu social dans lequel elle avait vécu et vieilli. Elle croyait de bonne foi que l'honneur de la famille lui faisait un devoir, devoir sacré, de mettre tout en œuvre pour empêcher Démon de commettre un acte dont la honte rejaillirait sur elle et ses enfants. Elle ne se montra donc pas disposée à rentrer chez elle. Démon en eut beaucoup d'humeur. Pour cacher son mécontentement, il restait peu à la maison. Sa tante profitait de ses longues absences, pour agir sur l'esprit de Blanchette. Elle avait changé de tactique. Elle ne fit plus le moindre reproche à Blanchette ; elle la prit par la douceur ; elle combattit le projet de mariage, au nom même de l'affection de Blanchette pour Démon. « S'il l'épousait, il serait sans cesse exposé à avoir des affaires d'honneur ; il y aurait des gens qui ne le salueraient plus, il se croirait insulté, il les provoquerait en duel, et, à force de se battre, il finirait nécessairement par être tué. Sans doute le sacrifice était grand pour Blanchette ; mais si elle n'avait pas le courage de l'accomplir, c'était alors Démon qu'elle sacrifiait ; elle détruisait son avenir, et répondait par une horrible ingratitude à toutes les bontés que la famille Saint-Ybars avait eues pour elle. »

Les cousines de Démon parlèrent à Blanchette dans le même sens. Elles la caressèrent ; elles lui promirent que dans l'intimité elles continueraient de la traiter sur un pied d'égalité. Elles l'engagèrent à venir chez elles ; il n'était pas convenable qu'elle restât plus longtemps sous le même toit que Démon.

De tout ce qui fut dit à Blanchette elle ne retint qu'une chose : c'est qu'en devenant la femme de Démon, elle le plaçait dans une position fausse et périlleuse. Pélasge le pensait aussi, se disait-elle, puisqu'il avait offert sa fortune à Démon, pour qu'il allât vivre à l'étranger avec Blanchette. Cette offre était bien un moyen de salut ; mais Démon ne l'accepterait jamais. Alors que faire ?... hélas ! se résigner à la destinée, se sacrifier par amour pour Démon. Telle fut, après bien des larmes, la conclusion à laquelle Blanchette s'arrêta.

Quand Démon s'aperçut du changement survenu chez Blanchette, il entra dans une violente colère contre sa tante et ses cousines ; il leur reprocha, dans les termes les plus amers, d'êtres venues chez lui pour travailler hypocritement à la ruine de son bonheur. Il leur déclara qu'il avait toujours eu les commérages en horreur, et que si l'on mettait dans un sac toutes les bavardes, jeunes et vieilles, qui s'occupent des affaires d'autrui, et qu'on les jetât au fleuve, il en serait charmé. Il sortit, étouffant de fureur, mais espérant qu'après un pareil éclat on se hâterait de quitter sa maison. Il n'en fut rien ; ces dames se firent un mérite, aux yeux de Blanchette, de supporter les outrages de Démon pour le sauver de l'abîme où le poussait son égarement.

Démon ne rentra qu'au soleil couchant. Il toucha à peine au dîner que Blanchette lui servit. Dans la soirée, il la prit à part, et lui demanda encore une fois si vraiment elle était décidée à ne pas s'unir à lui. Sa voix était douce ; il pressait affectueusement les mains de Blanchette dans les siennes et sur son cœur. Blanchette eut à peine assez de force pour lui répondre.

« Parrain, cher bien-aimé parrain, dit-elle, ce que j'en fais c'est par affection pour vous ; je vois bien maintenant qu'étant votre femme, je serais une source de malheurs pour vous. Vous avez vécu longtemps en Europe, vous avez oublié les préjugés du pays ; plus tard vous me rendrez justice, mon bon parrain. Ah ! il m'en coûte beaucoup de vous faire de la peine. Je regrette que ma mère ne m'ait pas laissée dans les bois où je suis née ; je serais moins malheureuse parmi les sauvages, qu'au sein de cette société civilisée qui me traite avec tant de barbarie. Enfin, c'est la destinée ; il faut bien s'incliner devant elle. »

À ce mot *destinée*, la raison de Démon se révolta ; son penchant à la superstition disparut dans l'éclair du bon sens.

« La destinée ! la destinée ! s'écria-t-il ; je reconnais bien là le langage de ma tante et de mes cousines. Tu te trompes, Blanchette ; tu appelles destinée ce qui n'est que l'effet de l'injustice humaine. Ne dis plus que nous succombons sous le poids de la fatalité. Le destin n'a rien à faire ici ; le bourreau qui nous sépare est le fils de l'orgueil et de l'ignorance ; il n'existe pas dans la nature, il n'a pas de nom dans l'ordre éternel des choses, il n'en a un que dans le langage des hommes ; il se nomme le préjugé. C'est lui qui autrefois flétrissait la jeune patricienne qui osait aimer un plébéien ; lui, qui livrait au bûcher la jeune juive surprise dans un rendez-vous d'amour avec un chrétien. »

Il y eut un long et douloureux silence. Blanchette courbait la tête comme une condamnée à mort. La colère et le désespoir se disputaient l'âme de Démon ; le désespoir eut le dessus.

« Parrain, dit Blanchette, je suis bien malheureuse ; vous êtes fâché, vous ne parlez plus.

— Ah ! tu regrettes de n'avoir pas grandi dans une tribu sauvage, répondit Démon ; tu as raison ! il y a plus de justice et de bonté dans la cabane de l'Indien que dans les villes de l'homme civilisé. Tiens, écoute ces paroles désolées qui éclatèrent dès l'aurore de la civilisation, comme si elles étaient le cri naturel des sociétés naissantes ; écoute-les ! elles ont été redites de siècle en siècle, et à mon tour, après tant d'autres malheureux, je les répète pour mon propre compte :

— Maudit le jour où je suis né ! Pourquoi ne suis-je pas mort dans le sein de ma mère ? Pourquoi la lumière a-t-elle été donnée à un misérable, et la vie à ceux qui sont dans l'amertume du cœur ?... Plût à Dieu que je fusse mort, et que personne ne m'eût jamais vu ! car je dormirais maintenant dans le silence, et je me reposerais dans mon sommeil. »

Après avoir prononcé ces lugubres paroles, Démon monta dans sa chambre ; Blanchette, toute consternée, se retira dans la sienne. Épuisez par les efforts qu'elle venait de faire dans la voie du sacrifice, elle tomba presque sans connaissance dans un fauteuil.

XLVI
Le désespoir s'empare de Démon

Deux jours s'écoulèrent, pendant lesquels Blanchette éprouva la satisfaction amère que procure l'accomplissement d'un devoir pénible. Elle crut que le plus fort de son épreuve était fait. Mais en remarquant que la tristesse de Démon croissait sans interruption, elle sentit croître son propre chagrin. Démon ne sortait plus ; il ne descendait de sa chambre qu'aux heures des repas ; encore, fallait-il agiter la sonnette deux ou trois fois pour le décider à venir. À table, il parlait à peine. Au milieu des repas, il se levait et montait. Il ne semblait trouver quelque soulagement que dans la compagnie de ses sombres pensées. Il occupait l'ancienne chambre à coucher de son grand-père, au premier étage. Cette pièce communiquait avec la tourelle, au sommet de laquelle était l'observatoire. Les deux extrémités s'ouvraient l'une sur le laboratoire de chimie, l'autre sur le cabinet de physique. Un large corridor passait devant ces pièces, les séparant de la bibliothèque qui comprenait tout un côté de l'étage. Au midi, le corridor aboutissait à un balcon d'où l'on voyait le fleuve ; au nord, il s'ouvrait sur une galerie du haut de laquelle le regard embrassait les champs, et, à droite, le dôme sévère et imposant du vieux sachem.

Comme le premier, le rez-de-chaussée se composait de deux séries de pièces séparées par un corridor : d'un côté étaient le salon, la salle à manger, l'office ; de l'autre des chambres à coucher dont celle du milieu, où couchait Blanchette, était située au-dessous de celle de Démon.

De sa chambre Blanchette entendait Démon marcher dans la sienne. Il veillait tard, allait et venait d'un pas régulier comme quelqu'un qui réfléchit en se promenant ; parfois il s'arrêtait brusquement, et restait longtemps à la même place. Il se couchait et se relevait plusieurs fois, rallumait sa lampe et lisait ou écrivait.

Dans le silence de la nuit, Blanchette entendait les feuillets de son livre qu'il tournait, ou sa plume qui courait sur le papier ; quelquefois même elle l'entendait soupirer.

Quand, à l'heure des repas, Blanchette voyait Démon descendre, le visage pâle et fatigué, son cœur se brisait ; elle eût voulu le consoler, mais elle n'osait pas parler, tant il avait l'air sombre et peu disposé à s'épancher. Il ressemblait à un étranger égaré dans un pays où rien ne l'intéresse, où tout l'ennuie, et que tourmente le désir de s'en aller. Un immense dégoût de toutes choses s'était emparé de lui. Blanchette eût frémi, eût pâli de terreur, si elle avait pu entendre ses monologues intérieurs. Le mépris de la vie avait pris chez lui les proportions d'une passion farouche. « Comment, se disait-il avec une ironie amère, comment les hommes peuvent-ils s'entêter à aimer cette existence à la fois absurde et douloureuse ? Pour lui trouver une raison d'être, pour justifier ses contradictions, pour excuser les maux dont elle foisonne, que n'ont-ils pas inventé ! que de mauvaises et sottes explications n'ont-ils pas extraites de leurs rêves philosophiques et religieux ! Et toute cette peine, toute cette bonne volonté à se tromper, à quoi aboutit-elle ? à arranger une manière de vivre qui vous fasse oublier que vous vivez. S'étourdir dans le plaisir, s'exténuer de travail, s'enivrer des fureurs de la guerre, perdre haleine à courir après la fortune, s'ensevelir dans la dévotion, s'évanouir dans les extases anticipées d'une vie future et éternellement heureuse, telles sont les ressources ingénieuses auxquelles l'homme a recours pour échapper au sentiment de sa misérable destinée. Le meilleur de son temps est quand il dort, c'est-à-dire quand il est submergé dans cette manière d'être qui ressemble tant à la mort. La mort ! qu'est-elle ? sans doute un sommeil ; mieux que cela, un néant. Pourquoi pas ? pourquoi ne serait-ce pas après ma mort, comme c'était avant ma naissance ? Où étions-nous, il y a cent ans, nous tous qui en ce moment passons comme des ombres sur la terre, pour faire place bientôt à d'autres ombres ? Nous étions sans doute où nous serons au sortir de la vie. Puisqu'il fut un temps où nous n'étions pas, pourquoi n'y aurait-il pas un temps où nous ne serons plus ? Mais, nous dit-on, l'espoir d'une autre vie est une consolation. Je réponds : Espérer, c'est rêver une chose désirée et possible mais non certaine. Si un rêve suffit pour vous consoler, gardez-le pour vous ; je ne veux pas vous en priver. »

Démon s'enfonça de plus en plus dans ces noires pensées. Pélasge ne s'aperçut pas, malgré sa perspicacité habituelle, que son jeune ami s'acheminait rapidement vers le suicide. Il y avait chez Pélasge un calme héroïque, résultant d'une acceptation raisonnée de la vie considérée comme un combat contre le mal physique et moral. Laissant de côté toutes les chimères de la métaphysique, il voyait dans l'homme une force organisée pour la lutte ; il croyait énergiquement au libre arbitre ; il était convaincu que l'Humanité parviendrait un jour à se débarrasser des idées fausses auxquelles elle doit une partie de ses maux, pour s'arranger enfin de son mieux sur la planète qu'elle habite. Depuis la mort de Chant-d'Oisel, Pélasge s'attachait davantage à l'étude ; il cherchait et trouvait, dans le culte de la science, le silence du cœur et la sérénité de l'esprit. Dans les hautes et calmes régions où il se tenait, il négligeait de prendre garde aux effets de la passion chez les autres. Il voyait bien que Démon était affligé ; mais il était loin de soupçonner qu'il fût susceptible, après avoir montré tant de courage dans un duel, de s'abandonner au désespoir. Il le plaignait sincèrement, et comptait sur le temps pour le guérir de la plaie faite à son cœur. Il savait bien qu'il y a des blessures dont on meurt, mais il ne se doutait pas que celle de Démon fût de cette nature.

XLVII
Tragédie

Vers la fin de la semaine, la tante de Démon lui annonça qu'elle partait le lendemain, et qu'elle emmenait Blanchette.

« C'est bien, ma tante », répondit-il.

Et il n'ajouta pas un mot.

Le soir, au moment de se retirer dans sa chambre, il dit à Blanchette :

« Demain, je n'aurai pas le courage de te voir partir ; il vaut mieux nous faire nos adieux maintenant. »

Il la serra dans ses bras. Blanchette sentit sa poitrine frapper la sienne de sanglots étouffés. Il ne dit rien ; il craignait, s'il parlait, de fondre en larmes. Il monta lentement l'escalier, sans se retourner une fois. Il était déjà dans sa chambre, que Blanchette était encore à la même place, au bas de l'escalier. Le silence de Démon lui faisait peur, sans qu'elle sût pourquoi ; elle eut la sensation d'un abîme immense et noir creusé tout à coup entre elle et lui. Était-ce l'effet ordinaire des séparations, quand on s'aime ? c'est probable, pensa-t-elle. Mais alors, c'était quelque chose d'horrible, cela ressemblait à la mort ; c'était pis que la mort, car elle au moins elle vous délivre de la souffrance.

Blanchette s'en alla, chancelante, passant plusieurs fois ses mains sur ses yeux, comme fait quelqu'un qui sort d'un rêve affreux et qui a de la peine à croire que ce n'était qu'un rêve. Elle passa une mauvaise nuit ; quand elle entendait marcher Démon, elle soupirait en se disant : « Il n'a plus de repos. » Quand elle ne l'entendait pas, il lui semblait qu'elle était déjà partie et qu'elle en était séparée pour toujours. Par moments, elle s'assoupissait ; puis, elle se réveillait en sursaut, et se cherchait entre les spectres encore visibles d'un songe horrible et les angoisses renaissantes de la réalité. Alors, elle s'asseyait dans son lit et disait en pleurant :

« C'est trop souffrir ; la mort vaut mieux qu'une vie pareille ; j'aimerais mieux être avec Nénaine. »

Enfin, le jour parut. Blanchette se leva à six heures, elle devait partir à huit. Elle se plongea comme d'habitude dans sa baignoire ; la fraîcheur de l'eau la ranima, lui fit oublier la fatigue de l'insomnie. Elle passa une gabrielle, et continua ses préparatifs commencés la veille.

Levé avant Blanchette, Démon écrivait à Pélasge. Quand il eut fini, il entra dans le laboratoire d'où il rapporta un petit flacon qu'il posa sur la table. Sur l'étiquette du flacon étaient gravés en noir, selon l'usage, une tête de mort et ces mots : STRYCHNINE – POISON. Il prit ensuite son revolver chargé, et le posa aussi sur la table. Il s'assit dans son fauteuil, et s'accouda. Après avoir réfléchit, il écarta le revolver en disant :

« Non, pas de bruit. »

Il prit le flacon :

« Ceci, dit-il, agit presque aussi vite qu'une arme à feu ; deux ou trois secousses, et c'est fait ; le tout en silence. »

Il savait ce qu'il fallait de strychnine pour tuer un homme. Il en mit dans un verre un peu plus que la quantité voulue, et versa dessus quelques gouttes d'acide chlorhydrique pour en faciliter la dissolution ; puis, il ajouta de l'eau sucrée. Cela fait, il alla à l'une des fenêtres qui regardaient du côté de l'ancienne maison où il était né. Il promena un regard d'adieu sur la campagne et le ciel. Ses yeux s'arrêtèrent sur le vieux sachem.

« Tu m'attends, dit-il, mon bon vieux sachem que j'ai tant aimé ! me voici ; je vais dormir dans ton ombre tranquille, à côté de mes aïeux, de ma mère et de Chant-d'Oisel. »

Comme il allait quitter la fenêtre, il aperçut, au-dessus des ruines de la maison paternelle, un petit nuage blanc qui montait dans l'azur en décroissant rapidement. Il vit une image de sa destinée dans cette vapeur matinale, qui, à peine formée, allait disparaître. Au moment où elle s'évanouissait, il la salua de la main et dit :

« Adieu. »

Il revint à son fauteuil, s'assit, prit le verre et but. –

Tout était tranquille dans la maison et dans la cour. La tante de Démon et ses cousines se levaient ; Mlle Georgine chantait à demi-voix la cavatine de Rosine du *Barbier de Séville* : c'était son habitude, elle chantait toujours en se levant et en s'habillant.

Mamrie, assise devant la cuisine, en plein air, nettoyait les couteaux ; tout en les frottant sur sa planche couverte de brique pilée, elle causait avec une jeune mulâtresse qui avait appartenu aux Saint-Ybars, et qui maintenant vendait de la mercerie. C'était une jolie fille, travailleuse et sage, mais trop confiante. Elle s'était laissé prendre aux belles promesses de M. de Lauzun ; il lui avait juré de l'épouser, mais il ne se pressait pas. Il doublait son rôle de politicien de celui de Don Juan. Livia (ainsi se nommait la jeune mulâtresse) avait appris de plusieurs autres jeunes filles que M. le duc les avait trompées en leur faisant le même serment qu'à elle. Elle avait pris avec elle-même l'engagement de se venger. En ce moment, elle ne se doutait pas qu'en causant avec Mamrie, elle préparait à M. de Lauzun un châtiment terrible. Il avait eu l'imprudence, dans sa fatuité, de se glorifier auprès d'elle du stratagème par lequel il avait jadis surpris le secret de Titia ; il avait été jusqu'à lui dire que c'était à son instigation que M. Héhé avait fait lire à Mlle Pulchérie la lettre volée à Lagniape. Haïssant Démon, il croyait lui avoir joué un bon tour en révélant au monde l'origine de Blanchette. Livia avait toujours eu confiance en Mamrie ; elle lui raconta tout.

Le hasard, comme on l'a dit souvent, est le plus puissant des dramaturges ; quand il prépare une tragédie, rien n'y manque.

Un peu avant sept heures, M. de Lauzun s'était rendu à la ferme, ayant besoin de voir Pélasge pour affaires. On lui apprit que Pélasge était allé voir Mlle Blanchette, qui partait avec la tante de Démon, et que, s'il voulait le rencontrer, il n'avait pas de temps à perdre.

Livia causait encore avec Mamrie, lorsqu'elle vit venir M. de Lauzun. Il les aborda familièrement, et leur demanda, sans même ôter son cigare de sa bouche, si Pélasge était là. Mamrie répondit qu'il était au salon. M. le duc, en traversant la cour, envoya du bout des doigts un baiser à Livia, comme pour se moquer d'elle. Lorsqu'il entra dans la maison, il jeta son cigare et prit un air respectueux. Le chapeau à la main, il s'arrêta sur le seuil du salon et demanda poliment s'il pouvait entrer. Il craignait Pélasge ; il connaissait ses opinions libérales, mais il savait qu'il ne fallait pas prendre avec lui des airs de familiarité. Pélasge lui rendit son salut, et lui dit d'entrer.

En passant au bas de l'escalier qui conduisait à la chambre de Démon, Blanchette entendit le bruit d'un siège remué avec violence, et, aussitôt après, un gémissement. Son cœur bondit. Qui gémissait ainsi ? ce ne pouvait être que Démon. Qu'avait-il ? à coup sûr il souffrait. Blanchette n'hésita pas ; elle monta et courut à la chambre de Démon. Il était pâle, haletant, les traits tirés et raides. Blanchette se précipita vers lui.

« Ah ! parrain, dit-elle en voyant le flacon de strychnine, est-ce que vous avez pris de cela ?

— Oui, répondit Démon ; de grâce, Blanchette, pas de bruit ; laisse-moi mourir tranquillement.

— Mourir ! dit Blanchette ; mourir comme cela, sans m'avoir avertie ; me laisser toute seule : ah ! parrain, ce n'est pas bien. Non, non ; cela ne peut pas être, je m'en irai avec vous. »

Démon voyant qu'elle allait prendre le flacon, le saisit. Immédiatement après, il eut une autre secousse. Ses bras et ses jambes s'allongèrent, tout son corps se mit à trembler et fit trembler le fauteuil ; puis, sa tête se jeta en arrière, son échine se ploya en arc. Après quelques secondes d'immobilité, il retomba affaissé, respirant à peine ; mais sa main crispée tenait toujours le flacon.

Blanchette aperçut le revolver ; elle sauta dessus. Démon, incapable de bouger, la vit diriger le canon contre sa poitrine, à la hauteur du cœur. Le coup partit. La balle perça la gabrielle et la chemise, effleura la peau et alla casser une vitre. Blanchette déchargea un autre coup. Cette fois, elle éprouva une douleur aiguë ; la détonation fut suivie d'un cri perçant. Blanchette se pencha sur Démon ; sa tête se posa sur sa poitrine comme sur un oreiller. Ils rendirent le dernier soupir en même temps.

Des bruits de pas, des cris, des lamentations remplirent la maison. À l'aspect des deux cadavres, Mlle Georgine, qui n'avait jamais vu de mort, fut saisie d'une épouvante incoercible ; elle redescendit en poussant des cris, à peine vêtue, échevelée, les yeux hagards, et se précipita dans la cour. Livia l'arrêta pour lui demander ce qui arrivait. Au milieu des paroles incohérentes de la jeune fille, Mamrie et Livia distinguèrent un fait déplorable, c'est que Démon et Blanchette étaient morts.

Livia, emportée par la curiosité, entra dans la maison. Mlle Georgine se reprit à fuir, et s'échappa dans la campagne.

Lagniape était dans la cuisine ; elle criait, appelait les uns et les autres, levant les bras au ciel, et demandant quel malheur mettait ainsi toute la maison sens dessus dessous.

Livia revint auprès de Mamrie ; elle lui fit, en pleurant et en gémissant, un tableau de ce qu'elle venait de voir. Mamrie ne cria pas ; elle resta immobile, assise dans la poussière ; de ses yeux éteints et fixes roulaient de grosses larmes. Tout à coup ses pleurs s'arrêtèrent ; elle demanda à Livia où était M. de Lauzun. Livia répondit qu'il était dans la chambre de Démon, avec Pélasge.

« Cé bon, dit Mamrie, couri côté Lagniape ki apé crié comme ain possédé, san li connin cofair ; di li ain bonne foi ça ki rivé, au moin la crié pou kichoge[1]. »

Pendant que Livia parlait à Lagniape, Mamrie cherchait dans son tas de couteaux. Ayant trouvé le couteau à découper, elle le cacha dans son corsage, et appela Livia. Elle se fit conduire par elle à la chambre de Démon. Un peu avant d'arriver à la porte, elle dit à Livia :

« Largué moin[2]. »

Livia la laissa. Elle arriva sur le seuil, en tâtonnant. Là, elle s'arrêta, et dit :

« Lauzun, mo fi, to là[3] ?

---

[1] C'est bon, dit Mamrie, va auprès de Lagniape qui crie comme une possédée, sans savoir que faire, dis-lui ce qui est arrivé, au moins elle criera pour quelque chose.

[2] Laisse-moi.

[3] Lauzun, mon fils, tu es là ?

— Oui, Mamrie, répondit M. de Lauzun, mo là ; ça vou oulé[4] ?

— Tan pri, Lauzun, pranne mo lamin pou condui moin côté mo cher piti Démon[5]. »

M. de Lauzun prit Mamrie par la main, et la conduisit près du fauteuil. De sa main droite elle reconnut le corps de Démon ; elle promena ses doigts, d'une manière caressante, sur sa figure et ses cheveux. Elle s'arrêta sur la cicatrice. Elle se pencha, et baisa Démon à l'endroit même où il avait été blessé.

Pélasge ne se sentit pas la force de supporter davantage ce douloureux spectacle ; il sortit.

Mamrie toucha les cheveux de Blanchette, baisa ses joues encore chaudes, soupira profondément et se redressa. Elle retira sa main gauche de celle de M. de Lauzun, et, la posant sur son épaule, elle dit :

« Lauzun, mo fi, to pa connin ça moune di ?... eh bien ! yé di cé toi qui cause tou maleur laïé rivé. Cé toi ki souflé, avec ain cerbacane, di poive é piman dan zié Lagniape, pou volé ain lette dan so poche. Cé toi ki cause Titia néyé li même dan pi. To cause Démon pranne poison-là ; to cause Blanchette mouri oucite. E to té cré tou ça sré pacé comme ça comme arien ! To cré ta sorti mézon cilà pou trompé fie encor avé to bel promesse, épi apré ça pou fé to faro é to vanteur. Non, mo garçon ; tan pou réglé to conte vini[6]. »

---

[4] Oui, Mamrie, répondit M. de Lauzun, je suis là ; qu'est-ce que vous voulez ?

[5] Je t'en prie, Lauzun, prends ma main pour me conduire auprès de mon cher petit Démon.

[6] Lauzun, mon fils, tu ne sais pas ce qu'on dit ?... et bien ! on dit que c'est toi qui as causé tous les malheurs qui arrivent là. C'est toi qui as soufflé, avec une sarbacane, du poivre et du piment dans les yeux de Lagniape pour voler une lettre dans ses poches. C'est toi qui as causé Titia de se noyer dans le puits. Tu as causé Démon de prendre du poison, et tu as causé Blanchette de mourir. Et tu crois que tout cela se passerait comme ça, comme si rien n'était arrivé ! Tu crois que tu sortiras de cette maison pour tromper les filles encore avec tes belles promesses, et puis, après ça, pour faire le faraud et le vantard. Non, mon garçon ; le temps de régler tes comptes est venu.

Mamrie saisit M. de Lauzun par sa cravate, et dit :

« A genou, céléra[7] !

— Mamrie, pa tranglé moin comme ça, s'écria M. de Lauzun, ou sinon ma cognin vou[8].

— Cognin moin, toi ! répliqua Mamrie... cé pa ain capon comme toi ka fé moin largué ça mo tchombo... A genou, mo di toi[9]. »

Mamrie tordit la cravate, et, sans donner à M. de Lauzun le temps de se reconnaître, elle le fit tomber sur ses genoux. Éperdu, à demi asphyxié, il voulut parler ; mais sa voix ne put franchir le cercle qui étreignait son cou.

« Si to gagnin ain laprière pou fé, dit Mamrie, fé li vite[10]. »

Et elle tira son couteau.

M. de Lauzun fit une horrible grimace en voyant luire la lame pointue et tranchante. Il agita vainement ses mains et ses pieds pour frapper Mamrie. Elle le laissa se débattre quelques secondes ; puis, d'un mouvement brusque, elle serra encore la cravate. M. de Lauzun porta rapidement ses mains à son cou, et essaya, dans un dernier effort, d'écarter les doigts de Mamrie. C'était justement là qu'elle l'attendait ; elle profita de ce moment, pour plonger son couteau dans sa poitrine en s'écriant :

« Cé pa la peine to résisté, céléra ; fo to mouri[11]. »

Sentant, au poids du corps de M. de Lauzun, qu'il était sans vie, elle le laissa aller. Elle se rapprocha de Démon et de Blanchette, et s'agenouilla de manière à appuyer son dos à leurs corps.

Les dernières paroles de Mamrie, prononcées d'une voix tonnante, étaient arrivées jusqu'aux oreilles de Pélasge et de Livia.

---

[7] À genoux, scélérat !

[8] Mamrie, ne m'étranglez pas comme ça, s'écria M. de Lauzun, ou sinon je vais vous frapper.

[9] Me frapper, toi ! répliqua Mamrie... ce n'est pas un capon comme toi qui me fera lâcher prise... À genoux, je te dis.

[10] Si tu as une prière à faire, dit Mamrie, fais-la vite.

[11] Ce n'est pas la peine de résister, scélérat ; il faut que tu meures.

Ils accoururent ensemble. Mamrie venait d'essuyer son couteau sur sa robe. Elle inclina sa tête en arrière, en disant :

« Chant-d'Oisel, Démon, Blanchette, cher piti, zote apé attanne Mamrie : alà li[12] ! »

Elle posa la pointe de son couteau entre la clavicule et le cou.

Pélasge et Livia se précipitèrent vers elle, pour arrêter sa main ; ils n'arrivèrent pas à temps : la lame disparut jusqu'au manche. Mamrie étendit les bras, l'un sur Démon l'autre sur Blanchette, et sa tête s'inclina lentement du côté de Démon, comme sous le poids d'un doux sommeil.

---

[12] Chant-d'Oisel, Démon, Blanchette, chers petits, vous attendez Mamrie. La voici.

XLVIII
Isolement

L'épouvantable tragédie n'était pas finie. Qu'était devenue Mlle Georgine ? On la chercha vainement tout le jour. Sa mère et ses sœurs passèrent une nuit d'angoisse. Le lendemain, au lever du soleil, la fugitive fut ramenée par des nègres qui coupaient du bois dans la cyprière. Elle était dans un état déplorable, elle avait entièrement perdu la raison. Elle était nue ; son corps, ses mains, sa figure, profondément déchirés, étaient couverts de sang et de boue. Elle poussait des hurlements de fureur et de douleur, et se débattait comme une bête féroce blessée. Sa mère et ses sœurs eurent toutes les peines du monde à la nettoyer, et à la mettre dans un lit.

Le matin, de bonne heure, des amis de M. de Lauzun étaient venus réclamer son corps.

Pélasge avait donné l'ordre de creuser une grande fosse sous le sachem, et il avait fait savoir aux amis de la famille Saint-Ybars que l'enterrement de Démon, de Blanchette et de Mamrie aurait lieu à huit heures du matin. Les cercueils furent placés dans une voiture découverte à quatre roues. Une vingtaine de personnes les accompagnaient ; Pélasge marchait à la tête du cortège.

Trois nègres, assis au bord de la fosse, attendaient en fumant et en causant paisiblement. Lorsque le cortège arriva, ils se levèrent et se découvrirent respectueusement. Pélasge fit placer d'abord la bière de Mamrie, ensuite celle de Démon, et à la gauche de Démon celle de Blanchette. Les pelletées de terre s'accumulèrent, avec un bruit sourd, sur les trois cercueils ; quelques personnes échangeaient des réflexions à voix basse. L'ouvrage des fossoyeurs terminé, la foule se retira ; le silence se rétablit sous le vieux sachem ; les oiseaux habitués à vivre sous ses rameaux, revinrent de la frayeur que leur avait causée la vue de tout ce monde, et ils reprirent avec confiance leur chant matinal.

En rentrant, Pélasge apprit que Mlle Georgine venait de succomber, après une longue convulsion. On lui annonça que le corps serait transporté de l'autre côté du fleuve, la mère et les sœurs de la jeune fille désirant qu'il fût enterré dans le cimetière de leur paroisse.

Au coucher du soleil, un grand esquif manœuvré par quatre nègres traversait le fleuve ; il emportait la jeune fille morte. Elle était couchée sur un matelas, et couverte d'une courte-pointe blanche ; la mère et les sœurs l'accompagnaient. Le temps était calme ; l'eau du fleuve était presque aussi unie que celle d'un lac quand il n'y a pas de vent ; l'esquif glissait facilement sur une surface dorée, et s'éloignait avec rapidité.

Pélasge était seul, sur le balcon de cette maison où la mort avait moissonné cinq personnes en moins de trente heures ; il suivait des yeux l'embarcation lointaine, écoutant, dans une sorte de stupeur, le bruit cadencé et de plus en plus sourd des rames. Appuyé à une colonne, il resta à la même place longtemps après que le canot eut disparu dans l'ombre de la rive opposée. La brise du soir commença à souffler ; elle devint forte ; elle gémissait dans les fentes des portes ; on eût dit une plainte se mettant à l'unisson de la tristesse de Pélasge. Il revint à lui comme s'il eût entendu la voix compatissante d'un ami. Il rentra ; il était déjà nuit. Il descendit. Il y avait de la lumière dans la chambre de Blanchette ; ce qui l'étonna. Il poussa doucement la porte. Parmi les objets éclairés par la lampe, était un canapé sur lequel étaient posées la dernière robe portée par Blanchette et ses bottines en peau de chèvre. Immobile en face de ces objets, Lagniape les regardait et pleurait.

Pélasge eut un serrement de cœur ; il s'avança et tendit affectueusement sa main à la vieille.

« Ma bonne Lagniape, dit-il, nous voici bien seuls ! de cette nombreuse et brillante famille des Saint-Ybars, il ne reste plus personne ; maîtres, enfants, domestiques, tous morts ou dispersés. Pour parler d'eux il n'y a plus que vous et moi, une ancienne esclave et un étranger. Ainsi vont les choses de ce monde. Croyez donc au bonheur ! comptez donc sur le lendemain !... Lagniape, quelles sont vos intentions ? où voulez-vous aller ? est-il un service que je puisse vous rendre ?

— Hélas ! mon cher Monsieur, répondit Lagniape, que voulez-vous que fasse une infirme octogénaire comme moi ? accordez-moi, je vous prie, un petit coin sur votre ferme, où je puisse attendre tranquillement la mort ; elle ne peut tarder à venir maintenant.

— Vous aurez ce que vous désirez, Lagniape ; rien ne vous manquera.

— Merci, M. Pélasge ; vous êtes un homme généreux ; vous me rappelez mon premier maître, M. Moreau des Jardets. »

Dès le lendemain Lagniape s'établissait sur la ferme. Livia venait souvent la voir. Le bon sens, l'esprit d'ordre et d'économie de cette jeune femme attirèrent l'attention de Pélasge ; il l'employa dans son magasin. Elle s'acquitta si bien de sa besogne, qu'il lui proposa de prendre entièrement la direction de son commerce. Il était fatigué de ce métier qui consiste à acheter pour revendre, et à mettre de l'argent de côté. De l'argent, il en avait plus qu'il ne lui en fallait avec ses goûts simples et ses habitudes de sobriété. Livia le remplaça si bien que les affaires continuèrent de marcher comme s'il n'y avait pas eu le moindre changement. Alors, Pélasge commença une nouvelle vie ; elle se partageait entre ses livres et ses visites au vieux sachem. Tous les jours, quand le soleil approchait de son coucher, il sortait de son cabinet de travail et se rendait à pied sous l'arbre vénérable. Là, il passait deux ou trois heures, quelquefois davantage, plongé dans des souvenirs et des méditations où il trouvait, non pas le bonheur, mais du moins la tranquillité. Il revoyait en esprit les personnes qu'il avait le plus aimées en Louisiane, Chant-d'Oisel, Démon, Blanchette, Mamrie et Vieumaite. Il n'était plus l'homme du présent, il vivait tout entier dans le passé. Il s'éloignait toujours avec regret du vieux chêne ; quand il sortait de son ombre silencieuse, les étoiles brillaient depuis longtemps.

Quelquefois Pélasge causait avec Lagniape ; mais ce n'était que pour parler de personnes et de choses qui n'étaient plus. Lagniape elle-même vint à lui manquer ; la mort pensa enfin à la pauvre vieille infirme, et lui fit la grâce de l'enlever. Alors, Pélasge se trouva absolument seul. Ses repas lui étaient servis par une vieille négresse au caractère concentré et triste, qui ne parlait jamais, à moins qu'une impérieuse nécessité ne l'y contraignît. De temps en temps, il écrivait à Nogolka ; il n'avait jamais cessé de correspondre avec elle. Elle était la seule attache qu'il eût en Europe ; il avait perdu son père et sa mère dont il était le seul enfant ; l'éloignement et le temps avaient effacé ses traits et même son nom de l'esprit de ses anciens amis. Depuis que la mort avait fait le vide autour de lui, ses lettres à Nogolka étaient devenues plus fréquentes et plus longues. Il s'épanchait volontiers avec elle ; de son côté elle lui parlait à cœur ouvert. Elle n'avait jamais cessé de l'aimer, et elle ne s'en cachait pas. Elle était pourtant mariée. Elle aussi, elle avait perdu ses parents. Après leur mort, se trouvant seule au monde, elle avait fini par céder aux instances d'un vieux noble russe qui l'aimait passionnément. Elle avait un fils de treize ans et une fille de dix.

XLIX
Le Comte Casimir Dziliwieff

Le mari de Nogolka, le comte Casimir Dziliwieff, était un de ces beaux vieillards verts et actifs qui feraient aimer la vie même aux plus indifférents, tant ils la prennent à cœur et s'appliquent à en user noblement. Il avait un caractère chaud et enthousiaste, un esprit large, une volonté de fer. Nogolka, avant d'accepter ses offres, lui avait déclaré franchement qu'il y avait en Amérique un homme qu'elle aimait, et qu'elle l'aimerait tant qu'elle vivrait. Dziliwieff avait admiré cette franchise ; il y avait vu une raison de plus pour s'attacher à Nogolka. Après leur mariage, il ne s'opposa nullement à ce qu'elle continuât à correspondre avec Pélasge. Bien plus, quand Nogolka était empêchée par une raison quelconque d'écrire, il la remplaçait. Peu à peu un échange direct de lettres s'établit entre Dziliwieff et l'ami de sa femme. Plus le vieillard lisait dans la pensée de Pélasge, plus sa confiance en lui augmentait ; il en vint même à désirer de le voir en personne.

Dziliwieff, malgré son âge, nourrissait de vastes projets. Il voulait voir son pays libre et marchant comme les États-Unis, ou au moins comme l'Angleterre, dans la voie du progrès. Dans sa naïveté héroïque, il avait d'abord exposé ses plans de réforme aux jeunes princes de la famille impériale ; on l'avait traité de vieux fou, et on l'avait même menacé de l'envoyer aux mines de Sibérie. Alors, il s'était dit : « Puisqu'ils ne veulent pas entendre raison, il faut agir révolutionnairement. » Et il s'était mis à conspirer. Résolu à sacrifier sa vie, s'il le fallait, pour le triomphe de ses idées, il avait assuré, par de sages dispositions, l'avenir de Nogolka et de ses enfants. Il avait fait passer une grande partie de sa fortune à l'étranger. Un des amis qu'il avait en Suisse, lui avait prêté son nom pour acheter une propriété dans le voisinage de Lausanne. Il faisait donner à son fils une éducation toute républicaine. Deux fois par an, il disparaissait sous un prétexte quelconque ; tandis qu'on le croyait en Hollande ou en Égypte, il rentrait incognito en Russie, pour continuer sa propagande révolutionnaire.

Dziliwieff avait conçu une haute idée du caractère et des capacités de Pélasge. Il s'était dit, plus d'une fois, que si son jeune ami, car il l'appelait ainsi, habitait en Europe, il trouverait en lui un puissant auxiliaire pour l'accomplissement de son projet. Mais Pélasge ne manifestait aucune idée de retour, et il était probable qu'après son mariage il se fixerait irrévocablement en Louisiane. Quand Dziliwieff apprit la mort de Chant-d'Oisel, il se reprit à penser que Pélasge lui serait d'un bien grand secours s'il venait en Suisse. La fin simultanée de Démon et de Blanchette fixa ses idées ; ce qui jusque-là n'avait été qu'une hypothèse devint une espérance. Quand il vit la tristesse froidement désespérée dans laquelle Pélasge s'enfonçait de plus en plus, il se dit :

« Ça marche ; bientôt la poire sera mûre. »

Dziliweiff connaissait à fond le cœur et l'esprit humain ; il savait tout le parti qu'on peut tirer des hommes jeunes encore qui ont bu, jusqu'à la lie, la coupe du malheur. C'était parmi eux qu'il recrutait ses adhérents les plus sûrs ; il les appelait ses *morts*. Il allait partout cherchant, comme il disait, des morts pour les ressusciter. Il mettait en eux une vie nouvelle, en leur donnant un but à poursuivre ; il leur communiquait sa force de volonté, il les exaltait par la grandeur de la mission qui les appelait, il les pénétrait de cet esprit de persévérance infatigable qui assure, tôt ou tard, le triomphe de la cause à laquelle on s'est voué.

L
Le Vieux Sachem

Dziliwieff écrivait plus souvent à Pélasge, depuis la mort de Démon ; en provoquant de fréquentes réponses, il étudiait, comme il disait en lui-même, son *mourant* d'Amérique ; il épiait, avec un redoublement d'attention, la fin de l'agonie.

Pélasge s'ensevelissait de plus en plus dans les profondeurs silencieuses de l'étude. Chaque jour le gouffre qui le séparait des intérêts ordinaires de la vie, s'élargissait. Il ne tenait plus à la terre que par un lien ; ce lien, c'était le vieux sachem. C'était son compagnon, son confident ; il l'aimait depuis dix-huit ans. Sa vie de cœur était là, dans l'ombre de ces rameaux d'où le silence et la tranquillité descendaient pour l'entourer, et pour protéger les rêveries dans lesquelles il voyait accourir à lui Chant-d'Oisel, Démon, Blanchette, Mamrie, Vieumaite, lui souriant et lui parlant.

On n'avait jamais vu Pélasge pleurer. Qui sait ? peut-être pleura-t-il plus d'une fois au pied du vieux sachem ; c'est un secret qu'ils ont toujours gardé l'un et l'autre.

Il y avait quatorze mois que Pélasge vivait de cette vie intérieure et taciturne ; il ne sortait de sa solitude et de son silence qu'à de rares intervalles, lorsque Livia venait régler ses comptes avec lui. Il ne croyait plus au bonheur ; il aspirait seulement à la tranquillité. Mais de quelque manière que l'on vive, même dans un désert, la vie garde son droit de ménager des surprises, bonnes ou mauvaises, à qui croit s'être mis à l'abri de ses vicissitudes. Une nuit, Pélasge fut réveillé par un violent orage. La pluie tombait à torrents, le tonnerre grondait sans intermission. Enfin, aux approches du jour, les roulements de la foudre se ralentirent. Il y eut même un silence de quelques minutes. Pélasge croyait l'orage fini, lorsqu'une détonation brusque et courte, mais d'une force prodigieuse, éclata. Par un mouvement involontaire et dont il n'eut même pas conscience, il se trouva assis dans son lit ; il crut que la foudre tombait sur la ferme. À cette explosion soudaine succéda immédiatement un bruit lourd et prolongé. Le sol trembla ; toutes les parties de la maison craquèrent. Pélasge étonné se demanda ce que cela pouvait être : un bolide ? un aérolithe ? un tremblement de terre ? Il se leva. Cette fois, l'orage était bien fini ; la campagne avait repris son silence ordinaire. Les nuages s'entr'ouvrirent à l'Orient, et laissèrent passer la lumière du soleil. Pélasge, avant de sortir, ouvrit sa fenêtre du même côté, comme il faisait chaque matin, pour saluer d'un regard son vieil ami le sachem. Il recula, en frissonnant et en portant la main à son cœur comme s'il y avait reçu un coup mortel ; le dôme du vénérable chêne avait disparu ; au milieu du vide fait dans l'espace, son tronc colossal, dépouillé de toutes ses branches, se dressait comme une colonne funéraire.

Pélasge, la poitrine oppressée, traversa la savane d'un pas mal assuré. Un spectacle désolant l'attendait. L'orage, en tourbillonnant, avait déraciné tous les arbres de la chênière ; la foudre avait dispersé de tous côtés les rameaux gigantesques du vieux sachem. Le tombeau des Saint-Ybars, écrasé et enfoncé dans la terre, avait entièrement disparu sous un monceau de bois et de feuilles. Des branches, grosses comme des troncs de grands arbres, étaient jetées pêle-mêle sur les fosses de Vieumaite, de Démon, de Blanchette et de Mamrie. Dans d'autres endroits, le sol était couvert de fragments plus ou moins menus. Ça et là le bois, littéralement réduit en poussière, s'était amoncelé en buttes jaunâtres. On ne voyait pas trace des cyprès de l'enceinte. Des tas de feuilles roussies tranchaient au loin sur le fond vert de la plaine. Les planches du cabanage des Indiens absents, avaient été enlevées comme des brins de paille et jetées hors de la portée de la vue.

Pélasge rentra, la mort dans l'âme. Il se fit, dans son être moral, un vide semblable à celui que le vieux sachem, en disparaissant, avait laissé dans l'espace. Il perdit le goût de l'étude. Un mal qu'il n'avait jamais connu, mal horrible pour un caractère comme le sien, s'abattit sur lui ; c'était l'ennui. Ne s'intéressant plus à rien, il sortait et marchait sans but, à pas lents et irréguliers, d'un air fatigué, comme s'il eût porté une montagne sur ses épaules. Il n'écrivait plus. Nogolka, inquiète de son silence, lui adressa plusieurs lettres coup sur coup. Pélasge rassembla à grand-peine les derniers restes de son courage, et il écrivit une longue lettre à son amie.

LI
On peut mourir plusieurs fois

Un matin, Dziliwieff revenant d'une promenade au bord du lac, entrait dans la chambre de sa femme, au moment où elle finissait de lire la dernière lettre de Pélasge. Il la trouva tout en larmes. Il lui demanda avec empressement quelle était la cause de son chagrin. Elle lui tendit la lettre, et dit en secouant tristement la tête :

« Pélasge est tombé dans le désespoir ; il en mourra. »

Le comte prit la lettre, lut très attentivement, et répondit avec le plus grand sang-froid :

« Vous vous trompez, chère amie, il ne mourra pas ; il est mort.

— Mort ! s'écria Nogolka avec angoisse.

— Oui, mort, oh ! bien mort cette fois, continua Dziliwieff comme se parlant à lui-même ; mort pour tout de bon. »

Puis, s'exaltant et secouant la lettre en l'air comme un drapeau victorieux :

« Mort en Amérique, s'écria-t-il, pour renaître en Europe. Mort aux rêves de bonheur, il va revivre pour le devoir. Il m'appartient ; je vais le tirer du tombeau, j'en fais un soldat de la liberté des peuples. »

Nogolka regardait Dziliwieff avec un mélange d'étonnement, de douleur et d'admiration.

« Enfin la poire est mûre, dit le vieillard en se frottant les mains ; nous allons la cueillir. »

Il se mit à marcher d'un pas rapide, toujours se frottant les mains.

Comme Nogolka retombait dans ses idées tristes et paraissait découragée, Dziliwieff s'arrêta tout à coup et dit :

« Ah ! ça vous ignorez donc, chère amie, qu'on peut mourir deux fois, plusieurs fois même ? Tenez, moi qui vous parle, je suis mort déjà quatre fois : mort après mon premier amour trahi ; mort, après la chute de ma tragédie que je croyais un chef-d'œuvre ; mort, le jour où je m'aperçus que mon meilleur ami m'avait toujours envié et haï ; enfin mort, quand, après une sévère enquête sur mes opinions philosophiques et religieuses, je m'écriai avec un amer mépris de moi-même : "Imbécile ! tu as vécu, quarante ans, de rêves plus insensés les uns que les autres." De toutes ces morts je suis sorti de plus en plus vivant. Il en sera de même de Pélasge, sinon il n'est pas digne d'être votre ami, il n'est pas un homme. Je vais lui adresser une dépêche. Attendez-moi dans mon cabinet de travail ; j'ai à vous parler ; voyez à ce que nous soyons bien seuls. »

Dziliwieff se rendit au bureau du télégraphe, et expédia à Pélasge une dépêche conçue dans des termes propres à le tenir en suspens. Il revint bientôt, et s'enferma avec Nogolka. L'entretien dura une heure. Lorsque Nogolka sortit, sa figure rayonnait de joie et de fierté.

La dépêche de Dziliwieff intrigua Pélasge ; il la relut plusieurs fois, sans en déchiffrer entièrement le sens. Ce qu'il comprit bien clairement, c'est que Dziliwieff lui demandait, quels que pussent être ses projets, un sursis de vingt jours. « Dans vingt jours, disait le télégramme en finissant, quelqu'un vous expliquera la chose de vive voix. »

Bien souvent, pendant ces vingt jours, Pélasge se demanda ce que Dziliwieff voulait de lui. Toutes sortes de suppositions lui venaient à l'esprit ; il cherchait la réponse qu'il ferait : quand il en trouvait une, elle était toujours négative. Il considérait sa vie comme finie, il se survivait. « Je n'ai plus rien à faire sur cette terre, se disait-il : je ressemble à un acteur, qui, après une représentation, quand tout le monde a quitté le théâtre, continue de se promener gravement sur la scène, dans le costume de son rôle. »

LII
La Vie nouvelle

Les souvenirs de Pélasge l'attiraient souvent dans l'avenue de l'ancienne habitation Saint-Ybars. Il aimait à s'y revoir entrant pour la première fois, avec Chant-d'Oisel, alors charmante fillette à physionomie douce et réfléchie. Il repassait en esprit les meilleurs jours qu'il avait connus, sur cette habitation où devait s'écouler une partie si importante de son existence. Tous les jours, depuis quelque temps, il sortait de la ferme, au coucher du soleil, traversait la savane blanchie çà et là par les ossements des animaux tués pendant la guerre, et allait s'asseoir dans l'avenue, sur un chêne déraciné, à une petite distance du fleuve. De là il voyait passer les voitures sur la voie publique, et plus loin les bateaux qui montaient ou descendaient. Il les regardait avec indifférence, ou plutôt il ne les regardait pas ; c'étaient comme des ombres confuses qui glissaient devant ses yeux.

Un samedi, Pélasge était assis dans l'avenue, à sa place accoutumée, la tête appuyée sur sa main. Il avait ôté son chapeau, pour mieux sentir la brise du Sud qui lui arrivait toute fraîche du fleuve ; ses cheveux noirs parmi lesquels serpentaient quelques fils d'argent, s'agitaient dans le tourbillon du vent. Il était plongé dans une de ces méditations sur l'avenir de l'humanité, dans lesquelles il trouvait un refuge contre l'ennui depuis qu'il avait perdu le goût des livres. Une voiture arrêtée à l'entrée de l'avenue, attira forcément son attention : un jeune garçon en descendit, et après lui une dame vêtue d'un élégant costume de voyage. Les inconnus, après avoir échangé quelques mots avec le cocher, s'avancèrent dans l'avenue. Pélasge se leva, pour s'éloigner par un chemin de traverse. Mais la dame, de loin, ouvrit les bras et les tendit vers lui comme pour lui dire :

« Je vous en prie, restez. »

Pélasge s'arrêta. Sur un signe de la dame, l'adolescent qui l'accompagnait resta derrière. À mesure que l'inconnue approchait, l'étonnement s'accentuait davantage sur les traits de Pélasge. Quand elle fut à quelques pas de lui, il poussa un grand cri et courut à elle en disant :

« Nogolka ! »

En effet, c'était Nogolka. Pélasge l'enveloppa de ses bras, et après l'avoir serrée sur son cœur :

« Vous ici ? demanda-t-il.

— Oui, répondit Nogolka, je viens vous chercher. Nous ne voulons pas, mon mari et moi, que vous vous éteigniez inutilement dans cette solitude. Oh ! comme tout est triste ici. C'est effroyable. Est-ce bien ici que fut le brillant domaine où nous nous sommes connus ? on se croirait dans un cimetière abandonné. Pélasge, votre place n'est plus ici. Vous avez donné assez de votre âme au passé ; l'avenir vous réclame. Un homme de votre valeur ne s'appartient pas ; la cause de la civilisation et de la liberté lui impose des devoirs, auxquels il ne saurait se soustraire sans mériter les reproches des gens de cœur. Dziliwieff vous attend, c'est lui qui m'envoie. Pélasge, votre mission vous rappelle en Europe. C'est là que se livre la grande bataille entre l'esprit du passé et l'esprit nouveau. L'Amérique est maîtresse de son sort ; elle n'a plus qu'à tirer le meilleur parti possible de son libre arbitre. L'Europe en est encore à se débattre contre les ennemis des droits de l'homme, ces mêmes droits pour lesquels vous répandiez votre sang, à la fleur de votre jeunesse, sur les barricades de Paris. Il y a encore, là-bas, des familles qui croient, ou plutôt qui voudraient faire croire qu'elles ont été créées tout exprès pour conduire les peuples, de même que les bergers conduisent les troupeaux dont la laine sert à les vêtir, et la chair à les nourrir. Riches et habiles, elles s'appuient sur des minorités qu'elles intéressent à la conservation de leur pouvoir. Elles ont à leur service des armées toujours prêtes à noyer, dans le sang, les tentatives des peuples pour s'affranchir du joug. Sous prétexte de dangers extérieurs, elles augmentent sans cesse le nombre de leurs soldats ; elles attisent dans les cœurs de ces multitudes armées, toutes les passions qui font d'une nation l'ennemie impitoyable d'une autre nation.

« C'est toujours la lutte, l'éternelle lutte entre la lumière et les ténèbres, entre l'ignorance et le progrès, entre la liberté et la servitude.

« Pélasge, ne viendrez-vous pas combattre avec nous pour la lumière, le progrès, la liberté ?

« Oui, vous viendrez ; Dziliwieff compte sur vous.

« L'heure est critique ; les hordes armées de l'Europe, conduites par des chefs sans scrupule et sans pitié, menacent de nous replonger dans la nuit qui suivit l'invasion des Barbares.

« Il y a une arme dont vous savez vous servir aussi bien que du fusil ; une arme plus redoutable que tous les fusils à aiguille du monde. La plume, tenue par votre main, porte les coups que les ennemis de l'humanité craignent le plus. Dziliwieff fonde un journal dont vous serez l'âme et la voix ; il lui donne pour titre : – LA VIE NOUVELLE. – Les hypocrites, les violents, les cupides, les ambitieux, les orgueilleux, tous ceux enfin qui exploitent l'ignorance et la crédulité des foules, auraient trop beau jeu, si les hommes comme vous restaient dans l'ombre et le silence.

« J'ai donné ma parole pour vous. Nos amis sont impatients de vous voir ; partons. »

Pélasge prit les mains de Nogolka, les serra, et la regarda avec l'expression de la reconnaissance et de l'enthousiasme. Il la trouvait rajeunie ; il n'y avait plus de fatigue ni de chagrin sur ses traits ; son teint frais et rosé, ses yeux étincelants de vie, formaient un contraste étrange mais nullement discordant avec sa chevelure maintenant uniformément blanche comme la neige des Alpes.

« Nogolka, dit Pélasge, vous êtes bonne, vous êtes belle, vous êtes grande ! Vous êtes pour moi le retour à la vie ; vous êtes l'espérance, la foi, la force, la lumière. Noble amie, je serai digne de vous ; je serai digne de Dziliwieff ; je m'élèverai à la hauteur de votre héroïque philanthropie. Nogolka, que ne vous dois-je pas pour être venue de si loin à mon secours ? disposez de moi comme vous voudrez ; je vous appartiens tout entier.

— Je vous donne juste le temps de régler vos affaires d'intérêt, répondit Nogolka ; ne perdez pas une minute ; la vue de cette campagne désolée me serre affreusement le cœur.

« Maintenant, laissez-moi vous présenter mon fils. »

Nogolka se retourna, et sur un signe fait par elle, le jeune garçon s'approcha.

« Ivan, dit-elle, tu connais M. Pélasge ; tu en as tant entendu parler ! embrasse l'ami de ta mère. »

Ivan obéit avec empressement. Pélasge le reçut dans ses bras, le caressa et dit à Nogolka :

« Comme il vous ressemble !... »

Deux jours après cette entrevue, un bateau à vapeur, arrêté depuis une demi-heure devant l'ancienne habitation Saint-Ybars, reprenait le large et descendait le fleuve. Debout sur la galerie, à l'arrière, un homme avait les yeux fixés sur le rivage ; sa main gauche fermée pressait sa poitrine avec force. Une dame tenait son autre main. C'était Pélasge et Nogolka. Pélasge regardait, pour la dernière fois, le tronc mutilé du vieux sachem.

Quand le bateau eut doublé la pointe de terre, au-delà de laquelle on perdait de vue la côte où s'élevait jadis la belle demeure des Saint-Ybars, Nogolka dit à son ami :

« Nous voici séparés du passé ; le passé est un mort : qu'il dorme en paix ! il a eu ses joies et ses peines. L'avenir nous appelle ; il a pour nous d'autres joies et d'autres peines : il est la vie ; allons à lui. »

Imprimé par
CASAIC
Shreveport, Louisiane